船舶舱室环境工程研究与设计

杨东梅　编著

哈尔滨工程大学出版社
Harbin Engineering University Press

内容简介

本书共分五章，主要包括船舶舱室的概况、船舶舱室环境工程理论基础、船舶舱室环境要素分析、船舶舱室环境设计、船舶舱室环境工程应用实例等内容。本书旨在为不同类型的船舶舱室环境的设计、改造提供一定的参考和指导，以期为船上人员提供一个舒适的工作和生活场所，提高船舶适居性。

本书可供高等院校船舶与海洋工程、计算机应用等专业教学使用，也可供有关科技人员参考。

图书在版编目(CIP)数据

船舶舱室环境工程研究与设计 / 杨东梅编著. —哈尔滨：哈尔滨工程大学出版社，2020.4
ISBN 978-7-5661-2645-0

Ⅰ. ①船… Ⅱ. ①杨… Ⅲ. ①船舱-环境工程 Ⅳ. ①U663.8

中国版本图书馆 CIP 数据核字(2020)第046918号

选题策划 薛 力
责任编辑 张忠远 刘海霞
封面设计 刘长友

出版发行 哈尔滨工程大学出版社
社　　址 哈尔滨市南岗区南通大街145号
邮政编码 150001
发行电话 0451-82519328
传　　真 0451-82519699
经　　销 新华书店
印　　刷 哈尔滨市石桥印务有限公司
开　　本 787 mm×1 092 mm 1/16
印　　张 10
字　　数 254千字
版　　次 2020年4月第1版
印　　次 2020年4月第1次印刷
定　　价 59.80元
http://www.hrbeupress.com
E-mail:heupress@hrbeu.edu.cn

前　言

随着船舶工业的进步和发展，人们的生活质量不断提升，船员和旅客对于船上居住环境有了新的要求。因此，船舶舱室环境工程的研究成果在船上的应用成了新的课题，不仅满足了人们和市场对高技术的追求，也使得美的享受成为可能。

然而，从我国造船工业来看，无论在船舶设计还是在船舶建造中，问题往往集中在船舶舾装上，尤其是舱室部分。由于过去我国对舱室环境设计重视不够，与造船技术先进国家比较差距很大，提高我国舱室环境设计水平是我国造船界的共识。因此，船舶行业的从业人员对船舶造型、船舶建筑美学、舱室设计等领域进行了系统研究，全国设有船舶与海洋工程专业的高校也开设了相关课程，以培养船舶行业的高素质专业技术人才。为此，编者编写本书以满足船舶舱室环境教学的需要，也希望为船舶设计制造的相关从业者提供有益的参考资料。

本书在编写过程中，参阅了国内外相关教材和资料，并重点参考了全国船舶工业职业教育教学指导委员会历年来规划出版的相关教材。本书力求做到覆盖全面，重点突出，概念清楚，实例丰富。

在本书的试用和评审过程中，得到了许多同行的帮助与指点。可以说，本书既是编者多年来从事船舶舱室环境工作与教学经验的总结与提炼，又是同行和专家以及院校师生集体智慧的体现。本书在编写出版过程中得到了哈尔滨工程大学李平教授、姜滨教授、林壮副研究员等人的大力支持，许多同行与专家也提供了热情的指导、关心与帮助，研究生李凯同学参与了资料收集及校对工作，在此一并表示感谢。

限于编者水平，本书难免有不妥甚至谬误之处，敬请同行与广大读者不吝赐教。

编　者

2019 年 8 月

目　　录

第一章 绪 论

船舶是一种复杂的水上建筑物，航行于江、河、湖、海，担负着运输、生产、战斗等各种水上任务。船舶具有航行环境条件特殊、类型多、系统复杂、技术含量高、投资巨大、使用周期长等特点。变化多端的海洋气候和海上情况对船舶本身及其内部环境的影响极大，船舶的类型特点、功能使命等也对舱室设计以及内部环境的营造带来很大影响。与陆上建筑相比，船舶舱室设计要考虑的问题更为复杂，船上人员的工作、生活环境相对较差。随着社会生活水平的不断提高，人们对海上生活、工作环境的要求日益提高，船舶舱室及其内部环境的设计构造需要越来越多地考虑人的主观需求。否则，对工作、生活在船上的人员和旅游休闲的乘客来说都是不合适的，对船舶行业的未来发展也是不利的。因此，改善船舶的舱室环境，提高船舶适居性，完善船上人员的工作、生活以及休闲娱乐环境是一个十分重要而紧迫的任务。

船舶舱室环境设计应在初步设计阶段加以考虑，在总布置设计的过程中进行规划，舱室环境设计与结构、轮机、电气等设计部分不同，它将直面用户终端，或者说与人的关系最为密切，并且要兼具艺术与美学的成分。船舶舱室环境设计从最初的概念阶段到最终的建造施工，整个过程牵涉较广且较为烦琐，涉及船舶设计、建造工艺、船用材料、安全法规、建筑美学、心理学等诸多内容。

舱室是船舶的内部空间，是船上各类房间的通称。船舶舱室的主要功能是为船上人员的工作、生活、休闲、娱乐或设备、物品的存放等提供空间。船舶舱室及其内部环境的设计因船舶类型及船舶功能任务而异。因此，本章在阐述舱室环境工程之前，首先介绍船舶的舱室、分类及其功能特征。

第一节 船舶舱室

船舶舱室是船舶建筑的内部空间，指船体内部用舱壁、甲板分隔而成的房间。通常把用主隔壁分隔的大舱段称为“舱”，在“舱”或上层建筑中用轻围壁分隔的空间称为“室”。舱室主要供船上人员工作、生活、休闲或娱乐，安置或存放、装载各种设备、物品等，如工作舱室、生活舱室、娱乐舱室、机舱、货舱、弹药舱等。

一、舱室的基本概念

对于船舶内的房间而言，主甲板以下的多称为“舱”，如机舱、舵舱、锚链舱等；而主甲板以上的上层建筑内的房间多称为“室”，如驾驶室、船长室、轮机长室等。在船舶建造过程中要进行查舱等工作时，就会把全船的各房间通称为“各舱室”。

二、舱室的名称

1. 主船体舱室名称

在主船体内，根据需要用横向舱壁分隔成很多大小不等的舱室，这些舱室按照各自的用途或所在部位而命名，从艏至艉分别称作艏尖舱、锚链舱、货舱、机舱、艉尖舱和压载舱等。在货舱中两层甲板之间所形成的舱，称甲板间舱（二层舱）。

2. 上层建筑舱室名称

上层建筑分船楼和甲板室两大类型。所谓船楼是指两侧都延伸至船舷或很接近船舷的上层建筑；甲板室是指两侧不接近舷边的上层建筑。船楼又有艏楼、艉楼和驾驶台之分。上层建筑内部的各舱室一般按舱室用途而命名。

三、舱室的构成

船舶舱室包括两大部分，即硬件设施和软环境（或环境氛围）。所谓硬件设施是指构成船舶舱室的材料、家具、设备等各种实物。如构成舱室的实物由外至内分别是舱室绝缘、门窗和壁板、卫生系统/单元、家具和配饰等。所谓软环境是指为了形成或营造出舱室所需的功能或氛围效果，通过对色彩、灯光、空气、噪声等进行综合协调和控制，以获取人－机/设备－环境之间的平衡，从而获得能够满足不同需求的舱室环境。硬件设施和软环境并非独立的功能体，而是相辅相成、密不可分的，因而在舱室环境的设计过程中必须系统协调，综合考虑。

1. 绝缘

舱室绝缘是立体的，垂直方向的绝缘依附于船体围壁，水平方向的绝缘则依靠甲板下的绝缘和甲板上的敷料。绝缘设计一方面满足了防火分隔的要求，另一方面又具有隔音、隔振、防结露和保温等作用。

2. 壁板和门窗

舱室壁板系统包括围壁和天花板，独立的围壁板称为隔板，对应的材料和工艺各不相同。通过舱室壁板系统与对应的绝缘材料组成一定的防火等级，形成满足设计要求的舱室空间，经过设计提供壁板排列和安装图。舱室门窗必须与壁板一起组成完整的防火系统，还要满足逃生、救生等船舶安全性要求。

3. 卫生系统

舱室卫生系统包括单人卫生间、双人卫生间和公共卫生间等，综合舱室人数、《内河船舶乘客定额与舱室设备规范》和人机工程学等设计。

4. 家具

船用家具是舱室系统的重要组成部分，其体积、色彩、造型和布置直接影响船员、旅客的生活、工作和娱乐。船用家具对比陆用家具有许多特点，它必须与船体牢固连接，设有防振、防潮措施，船用桌、台、柜的面板四周边缘设有凸缘，船用家具与壁板接触处可以省略，因此船用家具有一定的不完整性。

5. 舱室五金、铭牌、杂件

舱室五金包括家具小五金、盥洗室小五金和门附件等；舱室铭牌是标明舱室名称的标牌，包括名称牌、号码牌和注意铭牌；舱室的杂件包括帷幔和纺织品等。

6. 照明

舱室照明的主要作用是通过自然采光和各种人工照明装置的选用、布置和设计，为船上人员提供足够的光照条件，获得良好的视觉效果，使舱室环境具有某种气氛和意境，增强美感与舒适感，因此照明工作兼具实用性和艺术性。由于海上人员对工作和生活条件的要求不同，因而各舱室对照明的要求也不同。舱室照明设计既要满足相关标准，又要符合人体工程学的有关要求。

7. 色彩

色彩是影响船舶舱室环境的重要因素，是室内环境设计的灵魂，其对船员心理情绪、情感、健康以及视觉功能起到至关重要的作用。在一个固定的舱室环境中，色彩总是首先闯入人眼，也是舱室环境元素中最具感染力的部分。因此，舒适与合理的色彩调和与设计是改善舱室生活环境的重要手段。

舱室内部的各项硬件设施和软环境对舱室色彩环境的形成起着重要作用。如天花板、地板、舱壁、门窗等构成了整个舱室的背景色；家具、织物等构成了舱室的主体色；舱室内的各种装饰品，书画、盆景、灯具等形成强调色。另外，舱室照明对色彩环境的呈现也产生一定的影响。

8. 空气和噪声

舱室的空气环境，通常主要关注室内的空气品质、温湿度和污染物浓度等，通过相关设备的配置和调整，来获得生理学上人体最适宜的、舒适的空气环境（参数量值）。

噪声作为环境因素中的一种应激源（振动噪声、空气噪声），对船员身体机能的影响是不容忽视的。对于舱室噪声，主要考虑隔声和吸声处理，来控制室内的混响度和背景噪声，在满足船舶规范要求的噪声等级的基础上，尽可能降低和减少噪声。因此，在居住舱室设计的过程中，对家具设备进行设计、布置时必须采取必要的防振和减振措施。

四、舱室的功能和发展

随着各船级社的造船法规和国际公约的日益完善、实施，舱室设计的方法、造船工艺所选用的材料和设备等都发生了变化；人们对海上居住环境的要求也日益提高，除了基本的功能需求,更讲究舒适和美观;舱室设计工作也从简单的划分、布置到科学的、系统的规划和设计,这除了要保障生命与财产的安全,更加注重舱室效能的充分发挥和良好环境氛围的营造。因此,船舶舱室及其内部环境的设计受到越来越多的重视,并得到广泛的发展。

舱室内部采用结构防火和绝缘设计,这是舱室内装选材的一次革命。原来普遍采用的木作舱室围壁结构,除在个别内河船舶上使用或个别区域使用外,一般已不再使用了。远洋和沿海货船由于采用结构防火设计,已较有效地控制和限制了船舶火灾的发生。无论在海船还是在内河船舶上,船舶舱室材料已从第一代的蛭石板、石膏板等,发展到第二代的硅酸钙板和第三代的复合岩棉板,并已向轻质蜂窝板、聚酰亚胺等先进材料发展。这些材料与绝缘材料(或单独板材)一起,加上船体板与防挠材,共同组成了符合规范和一定防火等级要求的防火材料。而且这些材料外表色彩也可根据船舶总体色彩设计的要求,灵活选用,施工工艺也更简单、方便。

船舶舱室地板和天花板的设计也发生了变化。为了满足船舶垂向结构防火的要求,在舱室甲板上必须做甲板敷料,为此一些防火型甲板敷料需要达到 A 级要求。原来的光甲板,钢板铺木地板已很少见。后来出现了一种浮动地板,其工艺比原来的防火型甲板敷料要简单,它是在甲板上做好底层敷料后,把做成各种企口形式的板块铺设在甲板上。舱室所选用的地毯大多具有阻燃性和低播焰性,且地毯种类繁多,完全可以满足设计需要。舱室天花板一般选用防火型天花板,天花板与甲板之间做绝缘处理。在设计时常选用色彩较浅的天花板,不但可与围壁板、甲板一起组成完整的结构防火,也可构造成适合人们生活和心理要求的色彩环境。

舱室内部的设备,如船用家具、卫生设备、娱乐设施和装饰品等,也发生了革命性的变化,现代豪华客船、邮轮的舱室甚至可以与陆上的星级宾馆相媲美,我国建造出口的各类客、货船,其舱室设计、装潢水平也不断提高。国内船舶包括内河船舶对舱室设备的要求也逐步向国外先进水平靠拢。

船舶舱室在看似简单的空间内囊括了十分丰富的专业内容,它涉及船舶建造学、美学、心理学、生理学、人机工程学、环境工程学等多个学科。船舶舱室的好坏,在许多方面直接关系船舶的安全性、适用性、适居性和经济性。在现代造船业中,船舶舱室越来越被业内人士所重视。船舶舱室的设计、功能、环境营造等将不断完善和发展。

第二节　船舶分类及舱室概况

船舶作为重要的水上工具,起源于石器时代,随着桨、帆、蒸汽机和柴油机的出现和使用,船舶历经了漫长的改进和发展过程。现代船舶的种类各异,分类方法多样。船舶按照船体材料分类,有木质船、钢质船和玻璃钢船等;按照航行区域分类,有远洋船、近洋船、沿海船和内河船等;按照动力装置分类,有蒸汽机船、内燃机船、汽轮机船和核动力船等;按照推进方式分类,有明轮船、螺旋桨船、喷水推进船及风帆助航船等;按照用途分类,有民用船舶和军用船舶等。鉴于船舶的用途、类型对舱室区划以及舱室环境设计的影响较为密切,本书基于船舶的用途对一些典型的现代船舶进行分类,并简要介绍其主要舱室的设置情况和功能特征。

一、民用船舶及舱室概况

一般地，民用船舶(民船)多指海洋运输船舶，主要作用是载运旅客和各种货物。近年来，随着船舶及其他水上工具的不断发展，各类高性能船艇和海洋工程产品不断涌现，如无人艇、多体船、气垫船、海洋平台，以及各类工程船等。虽然民用船舶的种类繁多，但从船舶舱室的功能特点以及舱室环境设计的角度出发，本书重点关注客船、货船、游艇、渔船、工程船、科考船，以及海洋平台等主流民用船舶及其内部舱室。

1. 客船

作为传统的海上运输工具，客船是指专门用于运送旅客及其携带的行李和邮件的船舶。对兼运少量货物的客船也称为客货船。由于客船多为定期定线航行，也称为客班船。《国际海上人命安全公约》(SOLAS)中规定，凡载客超过 12 人的船舶应视为客船。

客船的范围较广，从十几米、几十客位的内河运输船、交通艇，到几十米、上百客位的沿海/海峡客(货)船，再到上百米、上千客位的大型客船、超大型豪华邮轮。客船对应的分类方式较多：

客船按船型分类有海洋客船、旅游船、内河客船和小型高速客船。海洋客船又分为远洋客船和沿海客货船两种；旅游船与大型远洋客船相近，一般为 2 万 ~4 万总吨，可载客 800 ~1 400人；内河客船多指航行于江河湖泊上的传统客船；小型高速客船是 20 世纪 60 年代出现的速度很快的短程客船，多航行于海峡和岛屿之间。

客船按载客性质分类有纯客船和客货船。纯客船专门用于运送旅客及其所携带的行李和邮件；客货船在运送旅客的同时，还载运相当数量的货物，并以载客为主，载货为辅。

客船按航行时间分类有第一类客船、第二类客船、第三类客船和第四类客船。第一类客船是指航行时间在 24 h 及以上的国际航行客船；第二类客船是指航行时间在 24 h 以下的国际航行客船和航行时间在 24 h 及以上的国内航行客船；第三类客船是指航行时间在 24 h 以下的国内航行客船；第四类客船是指航行时间不超过 4 h 的国内航行客船。

客船的尺度、类型较多，这在不同程度上影响了船内空间的划分和舱室的设置、布局，国际公约(SOLAS)和船级社规范(我国现行法规有《船舶与海上设施法定检验规则》)针对不同的分类方式，对客船的舱室等级、配置等做了明确的划分和规定。总体而言，客船最显著的特点是有较为发达的上层建筑，用以布置乘客、旅客等各类船上人员所需的工作、生活和休闲娱乐等舱室，另外客船配有足够的救生设备、消防设备和通信设备。客船舱室的设计布局应保证其具备良好的通风、采光、照明、空调系统和卫生设备，力求合理、舒适、美观，并尽可能为乘客及其他人员提供足够的休息、文化娱乐和各种活动场所等。图 1 -1 所示为某豪华邮轮及其内部舱室。豪华邮轮作为顶级客船的代表，被誉为海上贵族，一直是造船界顶尖级的高附加值船舶，其设计、建造技术一直被欧洲垄断。现代豪华邮轮，在外观和内部装饰上都十分讲究。邮轮外形像漂浮的宫殿，内部富丽堂皇、色彩艳丽。在豪华邮轮的设计中，造型设计、空间划分和舱室设计是其最重要的组成部分，是评定邮轮档次的最主要标准，同时也是与人关系最为密切和最具艺术成分的部分。

豪华邮轮内部空间按其使用功能划分为工作区、生活区、服务区和通道等，不同的区域内又包含各类功能不同的舱室(图 1 -2)。其中，工作区包括机舱、锅炉舱、燃料舱、货舱、驾驶室、海图室、报务室、理货室、广播室、雷达室、电罗经室、应急发电机室等;生活区包括居住舱室、船员舱室、旅客舱室、公共舱室、卫生舱室等;服务区包括饮食处所、娱乐处所等;通道遍及全船的各层甲板和每层甲板的各个区域,要求逃生安全和行动便利。

图1-1 某豪华邮轮及其内部舱室

无论是豪华邮轮还是普通的客船,每种类型的船舶都有舱室环境设计这一环节,它必须遵循适用、合理、安全、舒适的总原则。豪华邮轮作为舱室环境工程的顶级设计模式,在舱室的配置、布置以及空间环境设计等方面都有自己的独特之处。图1-3所示为“海洋量子号”豪华邮轮,它是目前世界上最豪华、最先进邮轮的典型代表,船上设有不同类型的居住舱室、膳务舱室和休闲娱乐舱室,能够给游客带来超乎想象的奢华体验。其基本参数及船上各类舱室的信息,见表1-1至表1-4和图1-4至图1-6。

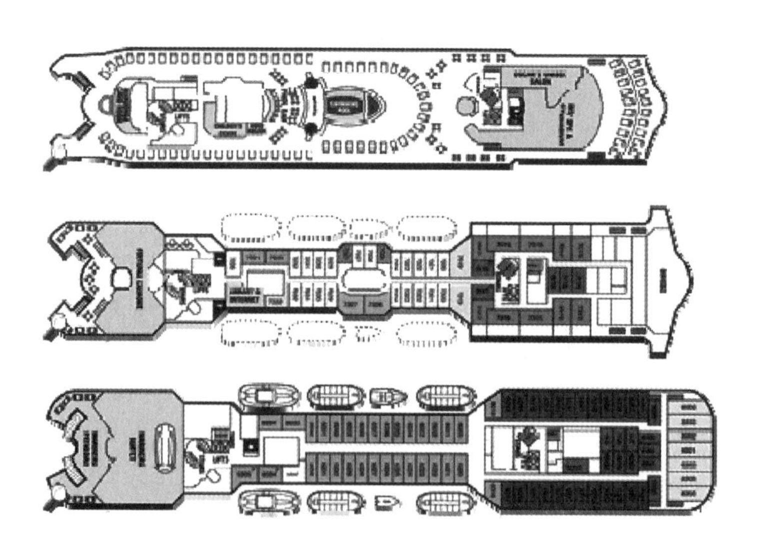

图1-2 豪华邮轮的内部空间划分

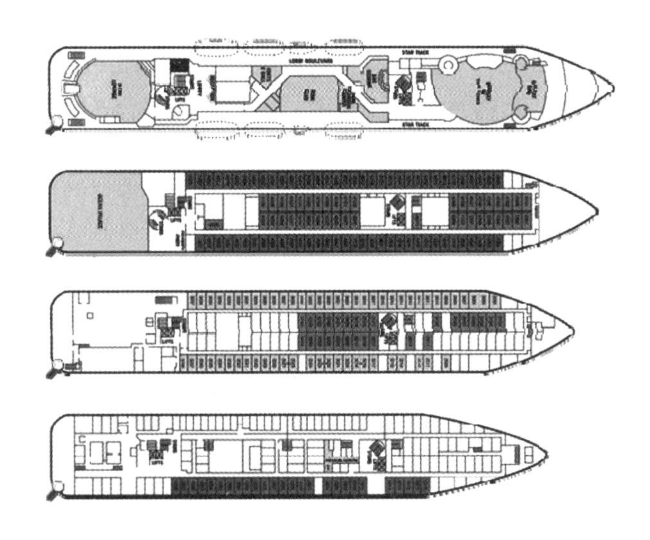

图 1－2(续)

图 1－3 “海洋量子号”豪华邮轮

表 1－1 “海洋量子号”豪华邮轮基本参数

制造时间	2014 年
制造商	德国帕彭堡,Meyer 造船厂
总吨位	167 800 t
船长	348 m
船宽	41 m
载客人数(标准)	4 180 人
载客人数(最大)	4 905 人
乘客空间比	40.4
运营航速	22 kn
客房数	2 094 间
客用甲板数	16 层

表 1-2 居住舱室

房型	内舱房	海景房	海景阳台房	套房
窗型	无窗	有窗	有阳台	有阳台
楼层	3,6~13	3,8~11	6~13	6~13
面积	10~17 m^2	17~28 m^2	11~36 m^2	25~152 m^2
客容量	1~4 人	1~4 人	1~4 人	1~4 人
数量	376 间	148 间	376 间	125 间
标准	SI 单人内舱房 M 内舱房 L 内舱房 Q 内舱房	I 标准海景房 H 高级海景房 F 豪华海景房	D3 海景阳台房 D4 高级阳台房 D1 豪华阳台房	SG 豪华套房 JS 标准套房 SJ 水疗标准套房

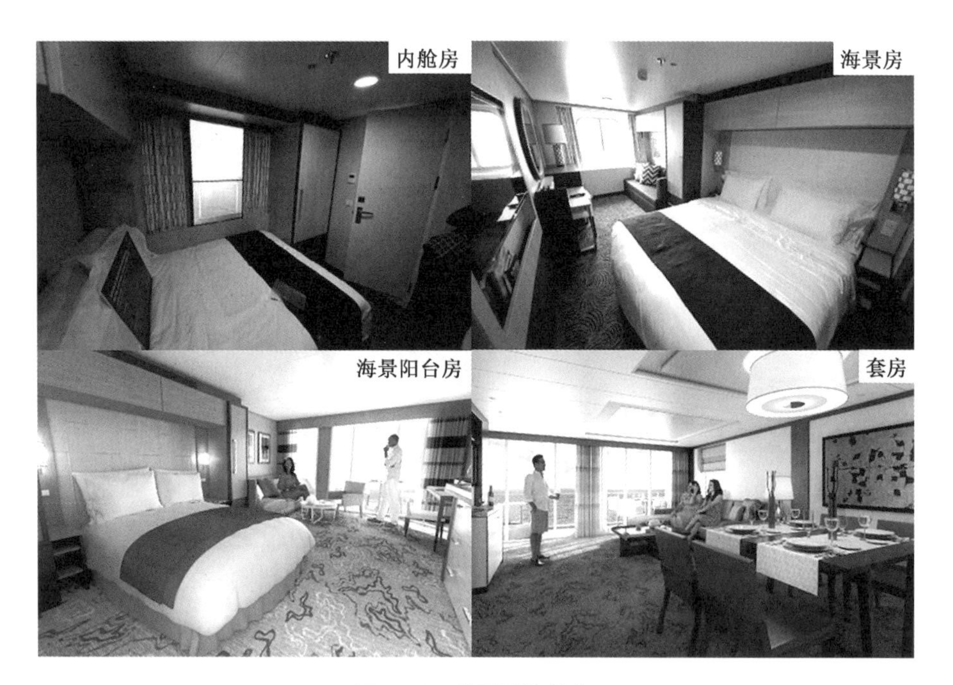

图 1-4 典型居住舱室

表 1-3 膳务舱室

类型	格蓝迪主餐厅	帆船自助餐厅	德文日光咖啡屋	北极星酒吧
楼层	3	14	14	14,15
数量	5 间	5 间	11 间	8 间
消费	免费	免费	早餐免费	收费
客容量	432 人	860 人	110 人	100 人
开放时间	以船上开放时间为准	24 h 开放	以船上开放时间为准	以船上开放时间为准
着装	正装	休闲装	休闲装	休闲装

图1-5 船上膳务舱室

表1-4 休闲娱乐舱室

类型	北极星	Two70°	甲板跳伞	皇家大剧院
楼层	15,16	5,6	16	3,4,5
数量	5间	5间	11间	8间
消费	免费	免费	免费	免费
客容量	14人	475人	1人	1 299人
开放时间	以船上开放时间为准			
着装	休闲装	休闲装	运动装	休闲装

图1-6 休闲娱乐舱室

船上娱乐场所15个,运动健身舱室9个,海上休闲区域23个,其他场所6个。其中,北极星是船上的海拔最高点。其设计受到了英国伦敦眼的启发,是工程学上的一个奇迹,可360°旋转的吊杆手臂、宝石形的玻璃舱将游客送往离海平面91 m的全新高度。日光浴场是船上首创阶梯式泻湖设计,大面积玻璃屋顶,室内恒温,带伸缩天顶的室内泳池。甲板跳伞是"海洋量子号"的又一个特色项目,在邮轮上"飞翔"属业内首创,通过垂直风洞,产生空气流,是一个安全、可控的体验平台,高7 m,可让客人享受到垂直降落的刺激和跳伞的快感。Two70°是量子系列的标志性的场所,270°观景厅,宽30 m、高6 m的全息屏幕,采用当今最先进的全息数码投影技术;270°的落地幕墙还能自动调节室内光线;演出时,整块落地玻璃会瞬间切换成屏幕,影像通过18个投影和12 m长的机器手臂将画面送到游客面前。

2. 货船

货船通常是指以装运货物为主亦可搭乘不超过12名旅客的船舶。目前,货船主要分为散货船和集装箱船。

(1)散货船

散货船以运输大宗货物为主,按所运货物形态的不同,又可分为干散货船和液体散货船。

①干散货船

干散货船通常是指专门运载谷物、矿砂、煤炭、化肥、水泥等大宗散货的船舶。根据所运货物种类和结构形式的不同,干散货船又可分为专运散装谷物的散粮船、专运煤炭的运煤船、专运矿砂的矿砂船以及带自卸系统的自卸式散货船。干散货船多为艉机型单甲板船,舱口也较大,上层建筑位于船尾,如图1-7所示。

图1-7 干散货船

②液体散货船

液体散货船是指专门运载石油等液体货物的船舶，包括油船、液化气体船和液体化学品船等。

a. 油船（图1－8）：通常是指专门运输成品油或原油的船舶。油船多为单甲板、艉机型船。由于货油通过管路进行装卸，故甲板上无起货设备，也不设大的舱口，而布置有许多管系、阀门，设置圆筒形油气膨胀舱口。为了确保船员通行安全，在艏楼和艉楼之间架设人行步桥或在甲板下设内部纵向通道。现在要求油船采用双层船壳，并设专用压载舱，以防止货油对水域的污染。原油船专门用于运送原油类货物。由于原油运量巨大，油船中超级油轮的载重量可达50多万吨，是船舶中的最大者。其结构随着环保要求的提高，由单底演变成双壳、双底的形式。甲板上无大的舱口，用泵和管道装卸原油，设有加热设施，在低温时对原油加热，防止其凝固而影响装卸。油船由于其所运货物单一，其主要特点是对码头水深没有太严格的要求，载重量较大，必须设置双层底或双层船壳，上层建筑和机舱通常设置在艉部等。

图1－8　油船

b. 液化气体船（图1－9）：通常是指专门用于运载液化石油气（LPG）、液化天然气（LNG）和液化化学气（LCG）的船舶。这三类液化气体在常温、常压下为气体，它们是在低温和加压下成为液态后运载的。液化气体船是双层壳结构，艉机型，货舱为球形或圆柱形耐压容器，货舱与其非载货舱室之间设有隔离舱。液化气体船上除了各液货舱独立的泵、管系、消防系统外，还设有远距离操纵装置用以遥控各种管系的阀门、泵等，设有测量仪器及监测装置用以测定液货舱的液面高度、压力和温度并监测各种设备的运转情况等。液化天然气船是指将天然气从液化厂运往接收站的专用船舶，主要有球罐型和薄膜型两大类，其建造难度较大、较复杂，被称为“三高”船舶，“三高”即高技术、高难度、高附加值。

图1-9　液化气体船

c.液体化学品船(图1-10):通常是指专门运载散装液体化学品的船舶,其外形与内部结构同油轮相似。由于所装载的液体多数为有毒、易燃和强腐蚀性物质,而且品种很多,为了便于装载,防止泄漏,液货舱分隔得较小,且均设双层底。为了方便液货舱的清洗,增强液货舱的抗腐蚀能力,有的船舶部分或全部液货舱采用不锈钢制成。

图1-10　液体化学品船

对比各类散货船可见,船舶舱室位于主船体和上层建筑两大区域。各类干货、液货舱室分布于主船体内,船上人员的工作、生活、休息、娱乐舱室主要分布在上层建筑内。货船舱室设计的总体目标为适用、合理、安全、经济和舒适。图 1－11 至图 1－13 所示为某散货船上层建筑的各层甲板的舱室布置图，展示了船上人员工作、生活的主要区域及配套舱室的设置情况。

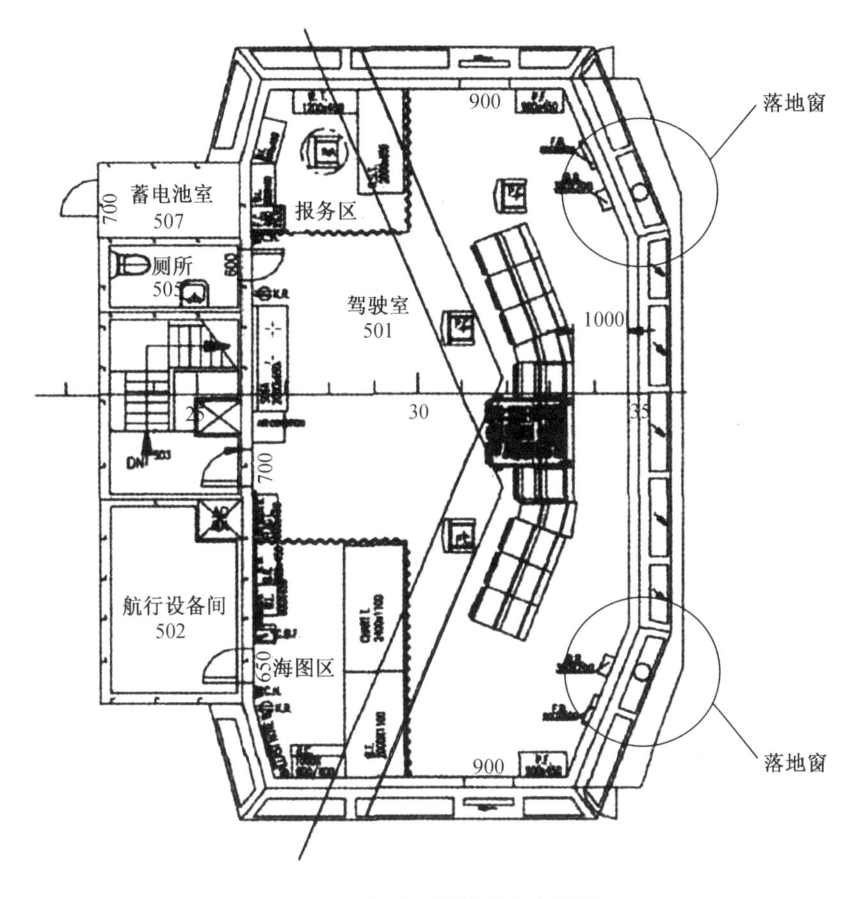

图 1－11 驾驶甲板的舱室布置图

（2）集装箱船

集装箱船是一种专门载运集装箱的船舶（图 1－14 和图 1－15），其全部或大部分船舱用来装载集装箱，往往在甲板或舱盖上也堆放集装箱。集装箱船多为单层甲板，双船壳，货舱口宽而长，货舱的尺寸按载箱的要求规格化，且大多数船舶本身没有起吊设备，需要依靠码头上的起吊设备进行装卸。集装箱运输业发展很快，已成为件杂货的主要运输方式，发展趋向大型化。对比散货船，大型集装箱船多为中后机型，上层建筑的长度短、层数多。集装箱船的上层建筑内，分布着供船上人员工作、生活、休息、娱乐的各类舱室。图1－16 至图 1－19 所示为某集装箱船上层建筑内各层甲板的舱室布置情况。集装箱船的舱室设计追求适用、合理、安全、经济和舒适等目标。

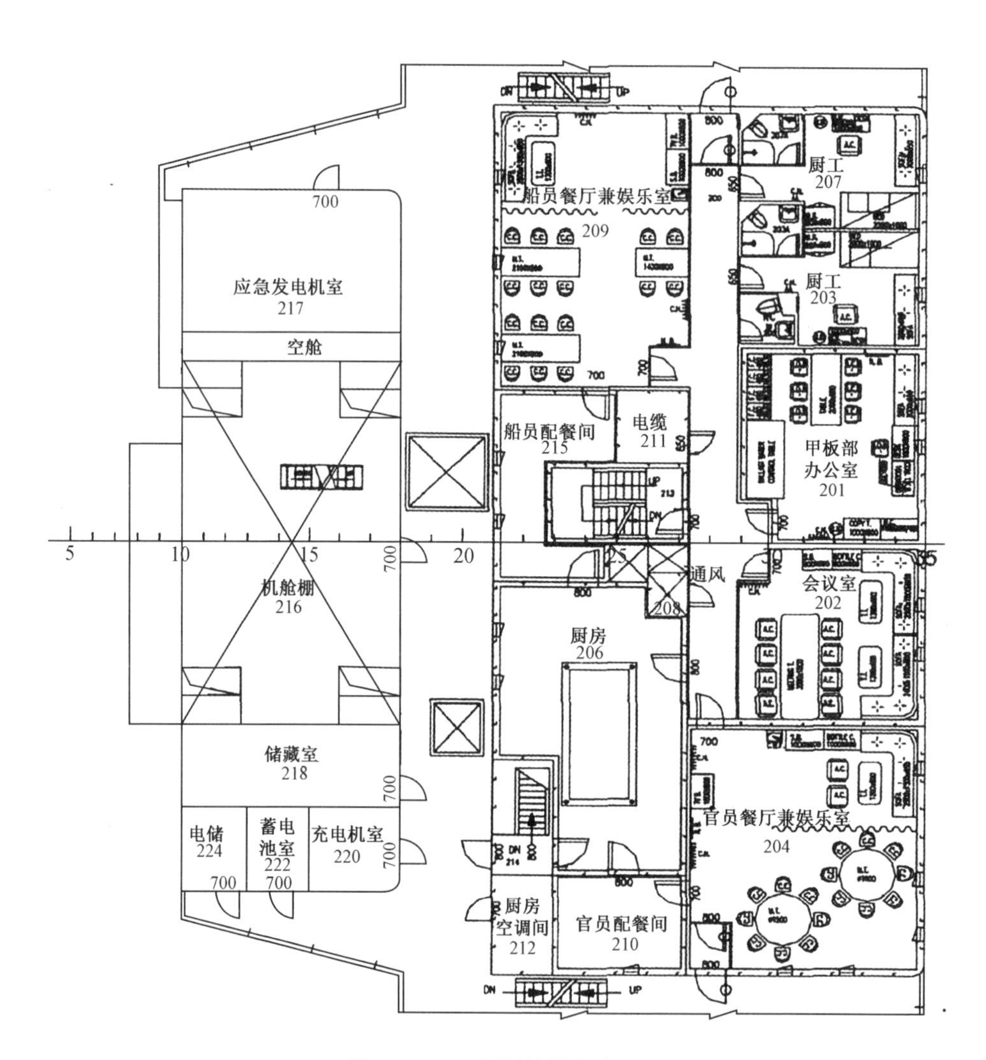

图 1-12　A 甲板的舱室布置图

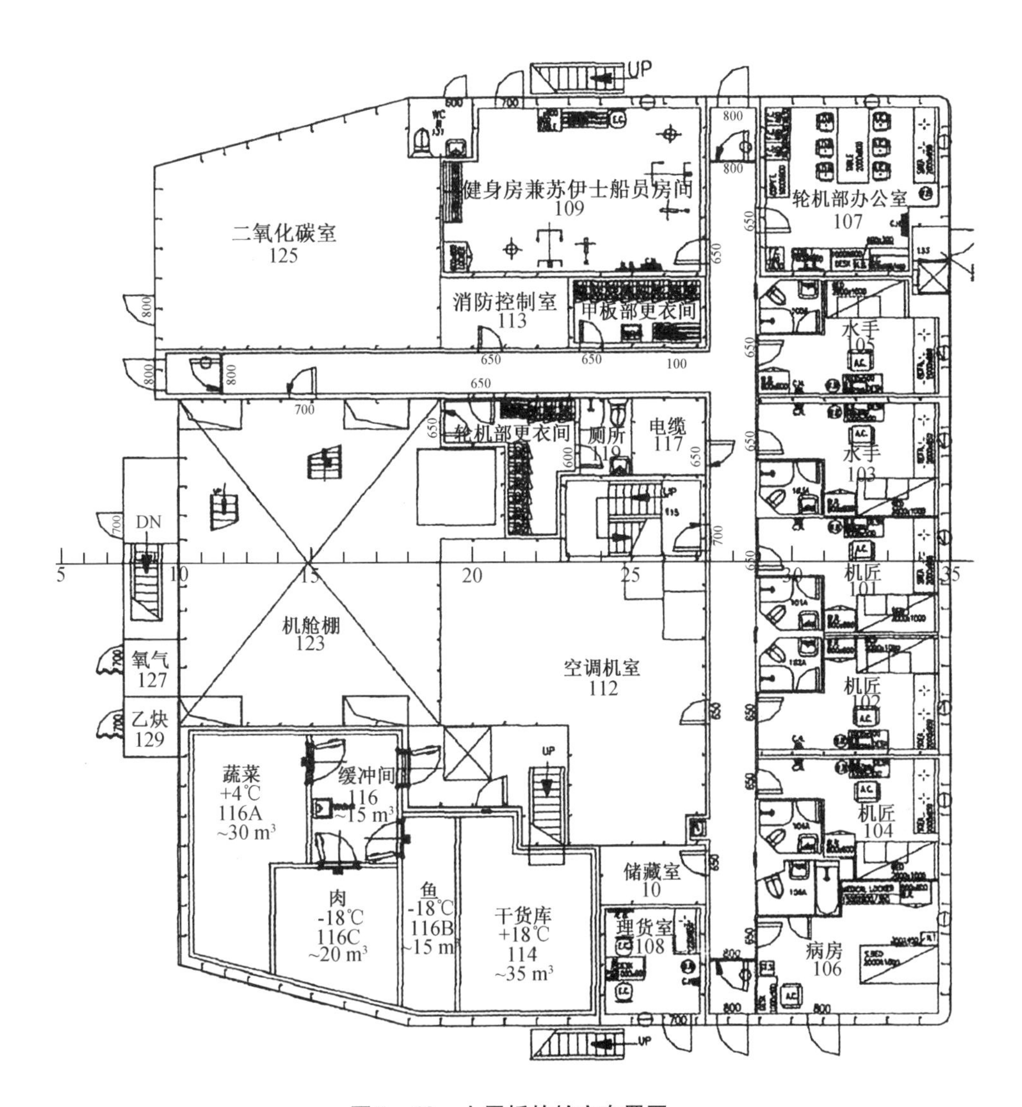

图 1－13 上甲板的舱室布置图

图1－14　集装箱船(一)

图1－15　集装箱船(二)

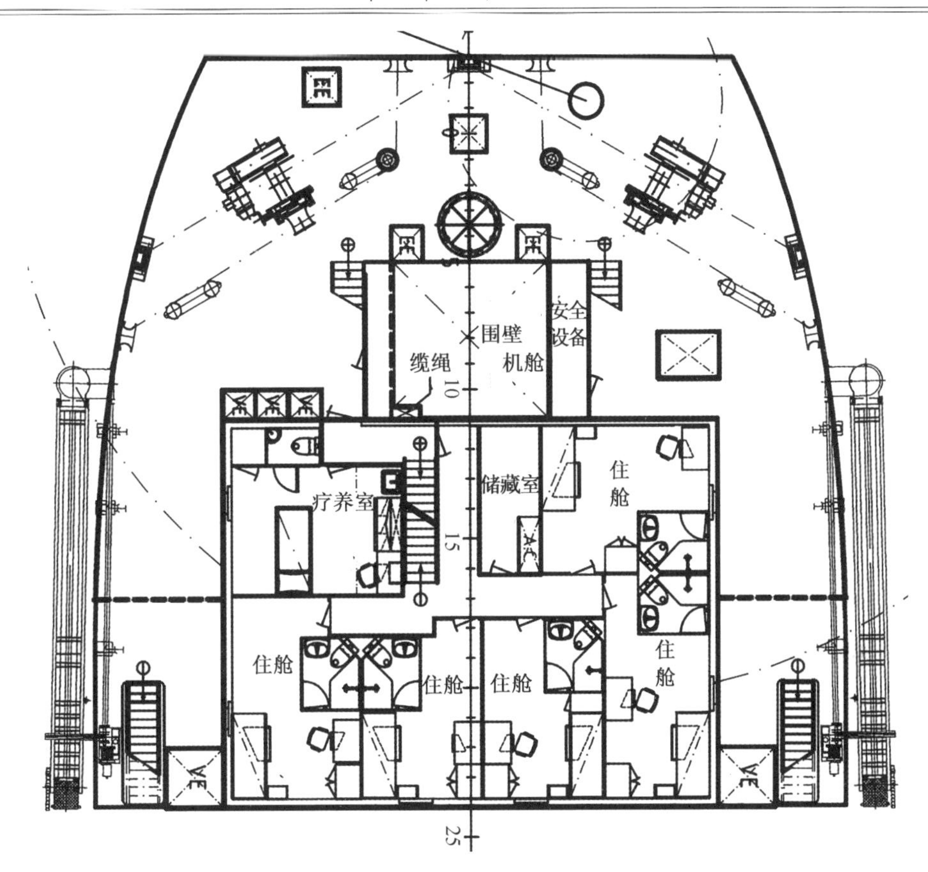

图 1-16 艉楼甲板的舱室布置图

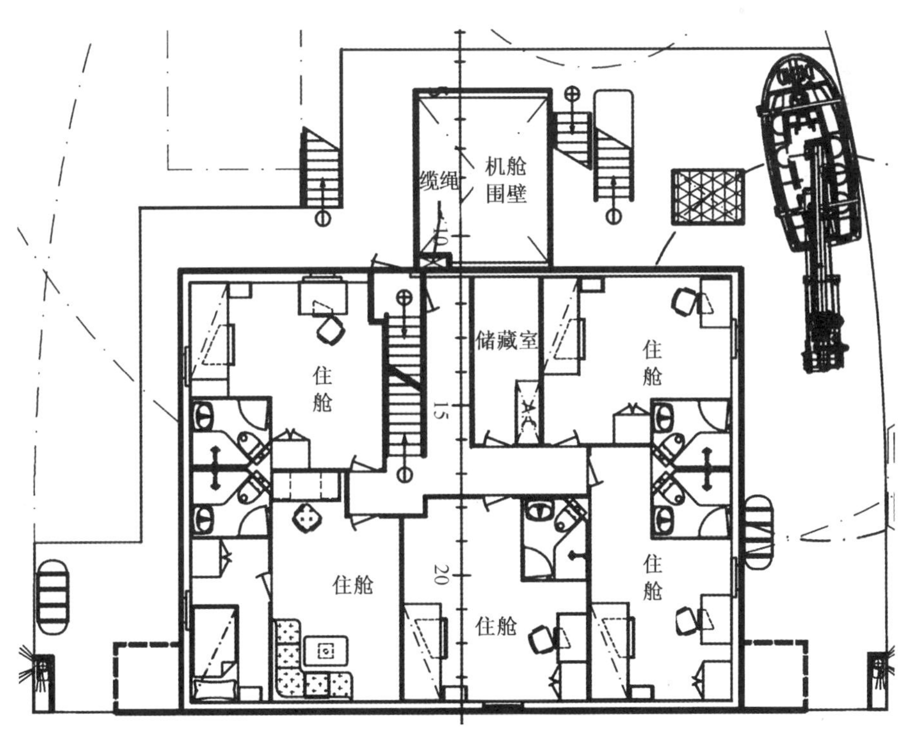

图 1-17 甲板的舱室布置图(一)

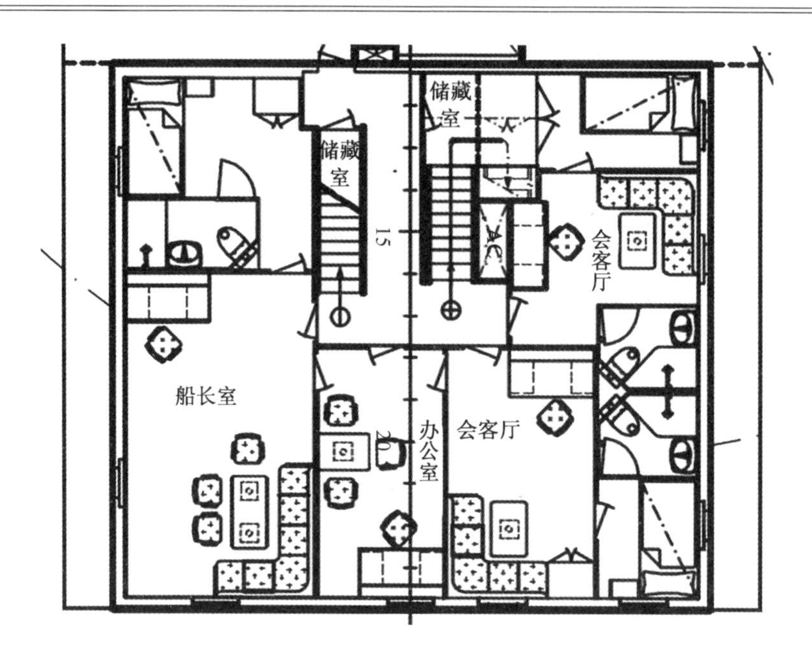

图1-18　甲板的舱室布置图(二)

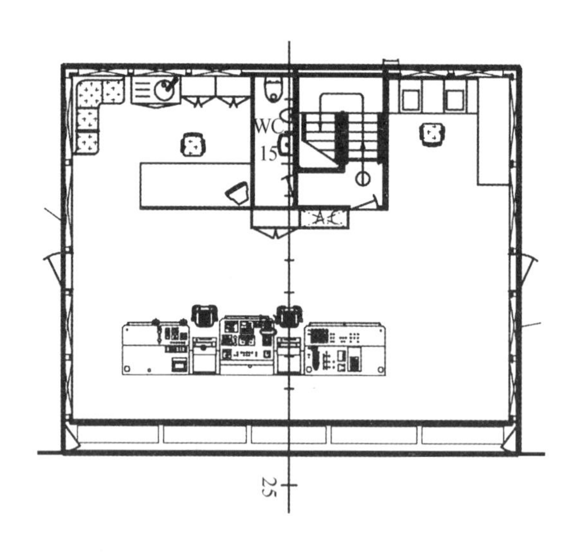

图1-19　桥楼甲板的舱室布置图

3. 游艇

游艇是一种水上娱乐用的高级耐用消费品。它集航海、运动、娱乐、休闲等功能于一体,用于满足个人、家庭生活享受以及各类商务活动的需要。游艇的配套设施一般根据游艇主人的需求定制,中小型游艇更是如此。通常所说的游艇配套设施一般都是以游艇的功能来设计的。游艇根据种类与功能的不同,艇内的配套设施也不尽相同。一般中小型游艇,下层室内空间有主人房、客房、卫生间;中层有客厅、驾驶舱和厨房;上层有露天望台和驾驶台;在动力和技术方面,配置了发动机、发电机、雷达、专业的仪器仪表、电话通信设备、冷气设备、家用电器乃至卫星导航系统。从整体上看游艇就是一个融现代办公与家庭休闲为一体的海上流动公寓,既可用于家庭休闲生活,又可在朋友聚会或宴请宾客时使用,这充分体现了现代生活的高质量与人的高品位、高格调。考虑到游艇功能的不同,艇内设施也略有不同。运动型游艇一般都配套大功率的发动机,舱室内的设施要简单一些,而休闲型游艇则会更加注重家庭味,设有客房、厨房、卡拉 OK 设备、电子游戏房、加长的钓鱼船尾等,以营造休闲时的家庭氛围。大型游艇内部装潢高档豪华,更注重通信设备、会议设备、办公设备的配套安装,用以满足现代企业的商务需求。

游艇的分类方式很多,就功能而言,有供竞技比赛的运动型游艇,供家庭度假游玩的休闲型游艇,还有用于商务会议、公司聚会、小型聚会的较为豪华的商务型游艇。图1－20 和图 1－21 为某游艇及其舱室布局情况。游艇不仅要求外形美,内部舱室设计也要舒适、美观,追求豪华。

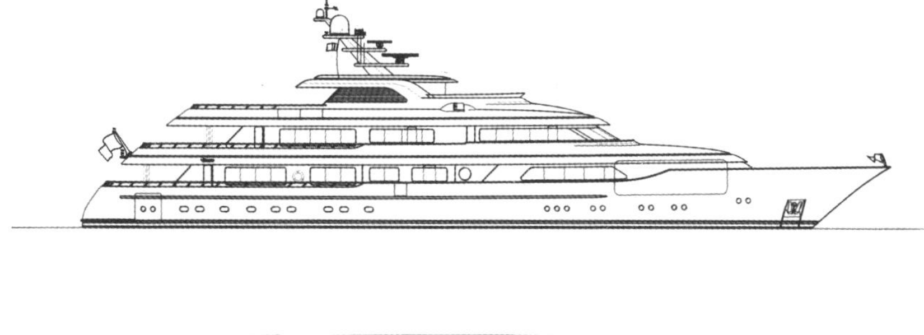

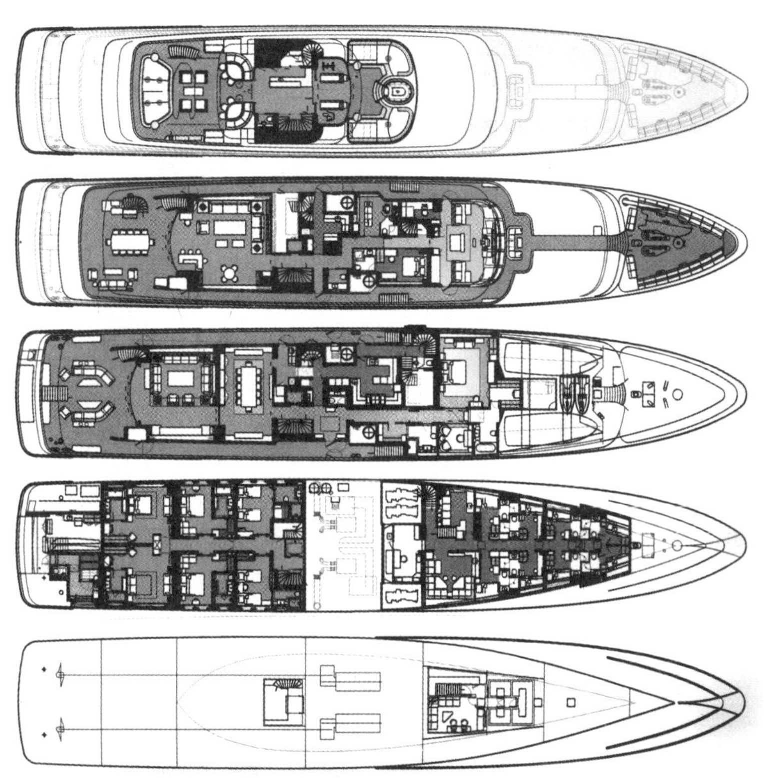

图 1－20 某游艇及其舱室布局情况(一)

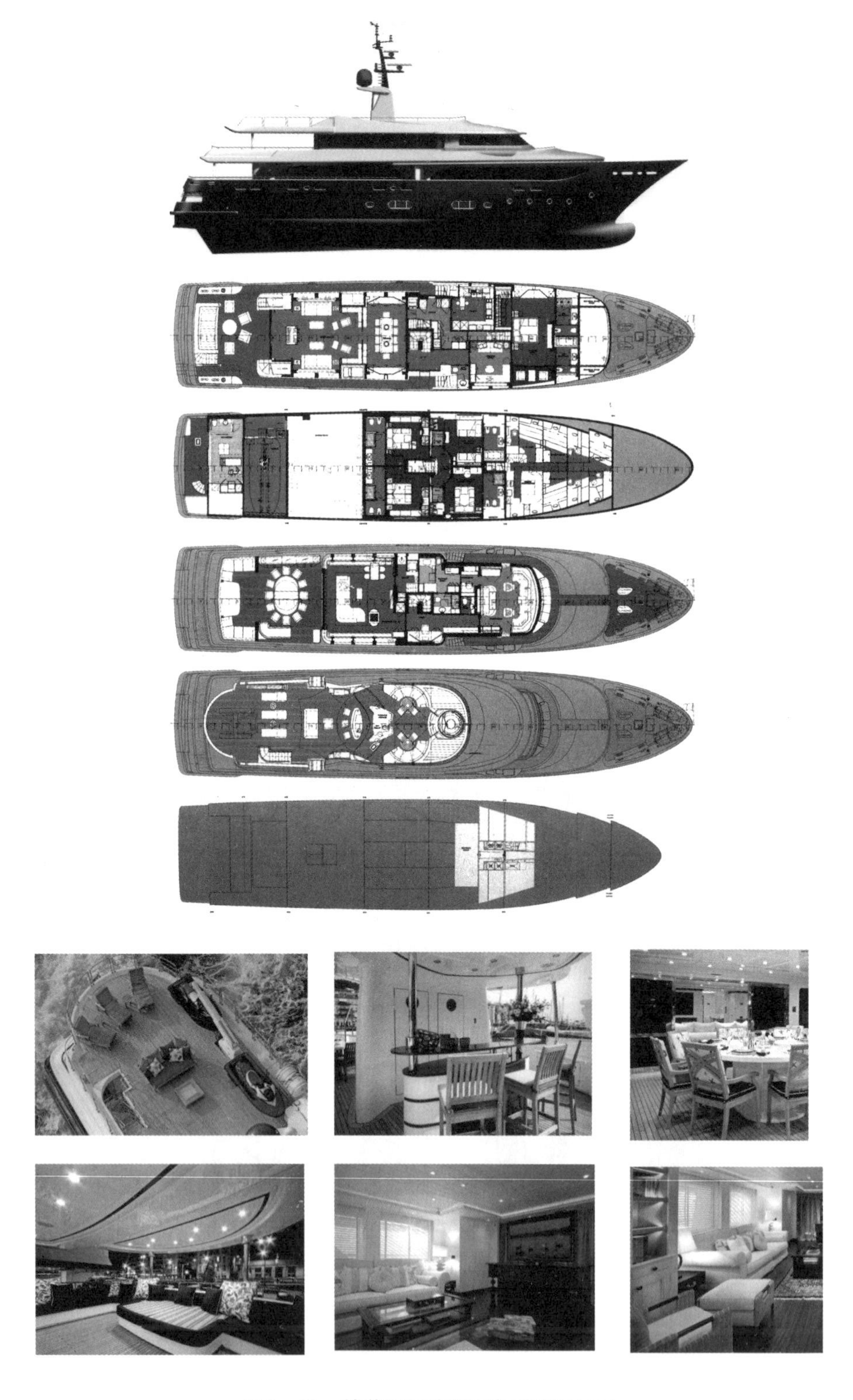

图 1－21　某游艇及其舱室布局情况(二)

4. 渔船

渔船(图 1－22)是指从事捕鱼和辅助捕鱼的船舶,按其作业方式分为拖网船、围网船、流网船、延绳钓船、捕鲸船和鱼类加工船等。渔船的作业功能较为单一,其上除了布置驾驶室、海图室、报务室、船长室、船员室、休息室、厨房、餐厅、浴室、厕所、机舱、储藏室等通用舱室,还有与捕鱼作业密切相关的鱼舱、理鱼间和加工间等。一直以来,海上捕捞作业较为艰苦,为了提高海上捕鱼作业效率,现代渔船的舱室环境设计在满足安全和使用要求的同时,尽力寻求舒适性和经济性的平衡点。

图 1－22　渔船

5. 工程船

工程船是用于近岸海区及江河湖泊水域工程施工的船只。如用于筑港的起重船、打桩船、管柱施工船、水下基础整平船、多用途作业平台、钻探船、爆破钻孔船、混凝土搅拌船、潜水工作艇、抛石驳和抛沙驳等;用于疏浚的挖泥船、铲石船、泥驳和石驳等。图 1－23 至图 1－26 分别为挖泥船、起重船、打捞船和敷缆船。其中,挖泥船是用于疏浚航道、加深泊位或开掘运河的工程船舶。其按挖泥设备不同可分为耙吸式、绞吸式、抓斗式、链斗式等几种类型。起重船是专门用于起重的工程船,又叫浮吊。它大多为非自航式,由拖船拖带移动。浮吊的起重量从几十吨到几百吨不等。大型浮吊的起重量可达数千吨。打捞船是用于打捞沉船或水底遗弃物的工程专用船舶。打捞船上装有起重机、绞车装置和空气压缩机,还有潜水、电焊、切割、修补和水下定位系统等设备。敷缆船是敷设海底电缆的专用船,它可兼作电缆维修船,其艏部形状较特殊,设有几个大直径的导缆滑轮。

图 1－23　挖泥船

图 1－24　起重船

图 1－25　打捞船

工程船的主要作业内容是修建军港、商港、助航设施、补给设施、水下试验场和水下工事，疏浚港池、航道和锚地，设置或排除水中障碍物。工程船上的大部分空间都划分为工作区，布置各种作业装备，船上人员的工作、生活环境较为恶劣，振动、噪声问题较为突出，因此在舱室布局、内部环境设计时，要加以重视，并尽可能地提高舱室舒适性。

图 1－26　敷缆船

6. 科考船

科考船是用于海洋水文、气象、地质和生物等研究考察的船舶。这种船舶航海性能好、舱室生活设施完善、续航力强。图 1－27 为“向阳红 10 号”远洋调查船，用于南、北极圈以外的世界各大洋的水文、气象、地质地貌、地球物理、海洋物理、海洋化学、海洋生物和微生物等各学科的调查及综合研究工作；发布所在海域的水文、气象的中、短期预报和危险天气警报；保障船岸、船间和对空的通信联络，以及承担电信试验，通信频率预报和航测、航摄等方面的各项工作。图 1－28 为“雪龙号”极地科考船，是在南北两极海域进行海洋调查和考察研究的远航调查船舶，具有破冰、防寒等特点。船上备有专业设备、仪器，并提供多种科研实验室。船员包括职业船员及科考人员。科考船的主要舱室有、套房、单人间、双人室等居住舱室；会议室、办公室、休息室、厨房、餐厅、展厅等公共舱室；驾驶室、科研实验室、医务室等工作舱室，以及机舱、燃料舱、货舱等船舱。科考船是科研人员生活、工作、同外界交流沟通的平台，也是国家形象的代表、民族身份的象征。在特定的航段内，不同领域的科学家与船员将一起工作、生活于船舶空间内。为了保障科学家与船员高效率的工作与舒适的生活，舱室环境的“人性化设计”变得尤为重要。

图 1－27　“向阳红 10 号”远洋调查船

图1-28 “雪龙号”极地科考船

7. 海洋平台

海洋平台是为海上进行钻井、采油、集运、观测、导航、施工等活动提供生产和生活设施的建筑物。海洋平台具有高于水面或被托出水面的能避开波浪冲击的平台甲板。平台甲板多数为三角形或四边形，分上、下两层，设有井架、钻机等钻井设备和钻管、泥浆泵等钻井器材，备有相应的工作场所储藏部位和生活舱室等。现在应用最广泛的海洋平台主要有半潜式钻井平台（图1-29）和自升式钻井平台（图1-30）。半潜式钻井平台由平台本体、立柱和下体或浮箱组成，此外在下体之间、立柱之间、立柱与平台本体之间有一些支承连接，工作时下体或浮箱潜入水中，在深水区作业时，需依靠定位设备，设备一般为锚泊定位系统；自升式钻井平台由平台、桩腿和升降机构组成，平台能沿桩腿升降，无自航能力，一般用于浅海，通常作业水深在150 m左右。海洋平台多处于恶劣的海洋环境中，平台舱室是人员频繁活动的区域，设计时既要满足安全和使用要求，又要综合考虑使用时的舒适性和美观性，从而保证工作人员在恶劣海况和长周期的环境下的工作、生活质量。

图1-29 半潜式钻井平台

图 1-30 自升式钻井平台

二、军用船舶及舱室概况

一般地,军用船舶是指执行各类战斗任务和军事辅助任务的各种船舶的总称,通常分为战斗舰艇和辅助舰船两大类,也可分为水面舰船和潜艇两大类。水面舰船是在水面航行的战斗舰艇和辅助舰船的总称,潜艇指的是在水下活动和作战的舰艇,水面舰船和潜艇可统归为战斗舰艇。

1. 战斗舰艇

战斗舰艇的种类繁多,如护卫舰、直升机母舰、驱逐舰、航空母舰、两栖登陆舰、导弹艇、鱼雷艇、猎/扫雷艇以及潜艇等。其中,护卫舰、驱逐舰、航空母舰以及潜艇是21世纪海军的主力战舰。

(1)护卫舰

护卫舰是以反舰/防空导弹、中小口径舰炮、水中武器(鱼雷、水雷、深水炸弹、反潜火箭弹等)为主要武器的中型战斗舰艇。它可以执行护航、反潜、防空、侦察、警戒巡逻、布雷、支援、登陆和保障陆军濒海翼侧等作战任务。护卫舰上舱室的种类和数量都较多,它们是承载船员与船舶工作作业和生活起居等相关设备的封闭空间,也是舰员执行作战、航行、执勤以及生活等各类水面活动的综合载体。良好的舱室环境可以使设备安全、稳定、高效的运行。舰船舱室按其具体功能可划分为工作舱室、服务舱室、公共舱室与居住舱室。图1-31和图1-32所示为某护卫舰及其内部舱室。护卫舰上的武器装备较多,一直以来为了发挥武器装备的最大效能,舰员的活动空间有限。因此,为有效提高护卫舰的作业效率,舰船舱室环境设计也应在保证功能的基础上,考虑舰员的主观能动性,尽可能地完善舱室配置以及舱室环境设计等工作,提高舰船的舒适性。

(2)驱逐舰

驱逐舰是以导弹、鱼雷、舰炮等为主要武器,具有多种作战能力的中型军舰。它是海军舰队中突击力较强的舰种之一,用于攻击潜艇和水面舰船、舰队防空以及护航、救援、侦察、巡逻、警戒、布雷、袭击岸上目标等作业。广泛的作战能力使得驱逐舰成为现代海军舰艇中用途最广、数量最多的舰种之一,驱逐舰也在很多大型海战中扮演着重要的角色。

图 1－31　护卫舰

图 1－32　护卫舰内部舱室

驱逐舰自19世纪90年代诞生至今已有120多年的历史，主要分为导弹驱逐舰和反潜驱逐舰。其中，导弹驱逐舰是以舰对舰导弹为主要武器对海上目标实施打击，兼有防空、反潜、护航等任务的多用途的水面攻击型战舰，其主要作战任务是为大型舰队和运输船队护航。其武器装备有舰炮、高炮、反潜深水炸弹、鱼雷等。反潜驱逐舰吨位通常要小于防空驱逐舰，一般为3 000 ~7 000 t，以反潜和反舰作为主要任务，主要装备尖端的声呐反潜设备和反舰武器，辅以近程点防空导弹辅助防空作战，以敌方潜艇和突破己方防空的“漏网之鱼”为目标。这类舰艇的作战能力比较全面，防空、反潜、反舰任务都可以执行，但不适合激烈的制空权争夺保卫战。

图1－33和图1－34所示为某驱逐舰及其内部舱室。驱逐舰的使命较多，对应的武器装备也较多，其占据了很大的甲板面积和舱室空间，因此舰员的活动空间有限，为了有效保证驱逐舰的各项使命任务，舰船舱室及其内部环境设计既要保证功能和安全性，又要力求舒适，给舰员一个良好的工作、生活环境。

图1－33　驱逐舰

（3）航空母舰

航空母舰，简称“航母”，它是现代科学技术的产物，是以舰载作战飞机为主要武器，并整合通信、情报、作战信息、反潜反导装置及后勤保障为一体的大型海上战斗机移动基地平台，舰体通常拥有巨大的飞行甲板和坐落于舷侧的舰岛。航母排水量可高达10万多吨，作为可容纳数千人的漂浮城市，不仅是综合国力的象征，而且是国家形象的代表。除去精良的武器装备，卓越的航行性能，还需要保障良好的生活环境来保证舰员的日常工作和生活质量，提高舰员的工作效率，从而充分展现航母的综合实力。

航母是航空母舰战斗群的核心，舰队中的其他船只为其提供保护和供给，而航母则提供空中掩护和远程打击能力。航空母舰的主要武器装备是它装载的各种舰载机、歼击机、轰炸机、预警机、固定翼反潜机、电子战机、救援直升机等。舰载机是航空母舰最好的进攻和防御武器。航母能在其他战斗舰艇护卫下，远离海岸实施机动作战，袭击敌海上编队和岸上目标,夺取作战海域的制空权和制海权。航空母舰按照不同标准有多种划分方式。发展至今,航空母舰已是现代海军不可或缺的武器,也是现代海战中最重要的军舰之一。图1－35至图1－37所示为航母及内部空间分布情况。

图1－34　驱逐舰内部舱室

图1－35　航母

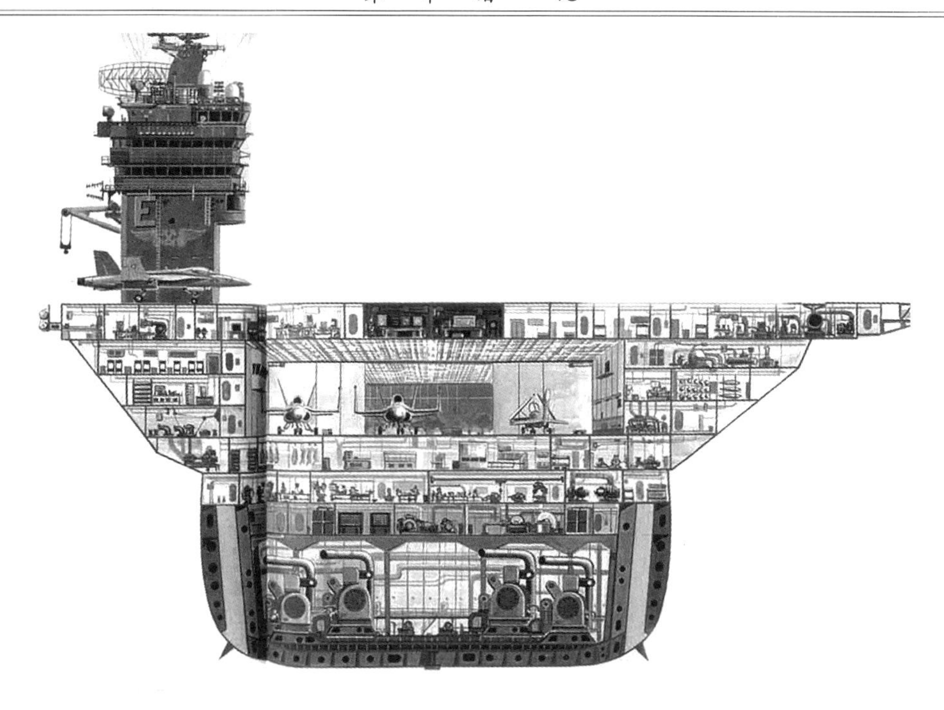

图 1-36 航母典型横剖图

图 1-37 航母各甲板剖视图

航空母舰上设有供飞机起飞、降落用的宽阔而平坦的飞行甲板，飞行甲板以下有 8 ~ 11 层甲板，船底为双层底，采用分层结构是为了保证其有最宽阔的飞行甲板，上层建筑、烟囱及桅杆等一般集中在船体中段的右舷；上层建筑甲板有6～9层，在上层建筑内布置各种指挥部门的舱室。飞行甲板两侧的下面为飞行甲板走廊。舷侧有突出的舷台，布置火炮、导弹、起重机及小艇等。飞行甲板上的其余甲板面积可分为起飞、降落和待机3个区域，起飞跑道位于航母首部，飞机起飞时是向艏端冲出，这样可以充分利用本舰航速以加快飞机起飞速度；降落跑道在航空母舰上的斜角甲板，它位于舰尾部左舷，其中心线与起飞甲板之间的夹角为10°左右，飞机着舰是从舰尾沿着斜角甲板进入，这样飞机的着舰速度相对减小，有利于飞机降落。

由于航空母舰上的起飞跑道长度有限，飞机滑行至甲板端时还不可能加速至起飞速度，为此在飞机甲板首部装有飞机弹射器，使飞机加速到足以起飞的速度。或者将航母的首部甲板向上升起，设置滑跃式甲板，以增加飞机滑行距离。此外，飞机着舰时的降落速度仍然很高，而斜角甲板的长度也有限，如不采取有效措施，着舰后的飞机将很快超越甲板复飞或掉入海洋，为此斜角甲板后部装有阻拦索、阻拦网等，以保证飞机安全着舰和停止。平时飞机存放在飞行甲板下的机库里，使用时依靠升降机把飞机从机库里运升至飞行甲板上的待机区。舰员的生活、工作区也大部分在飞行甲板以下。舰上还装有各种现代电子设备，供驾驶航空母舰和指挥作战飞机使用。

航母上有数千个舱室，各类舱室都与船上工作人员息息相关。其中，与舰员生活、工作密不可分的舱室/区域有居住舱室/区域、膳务舱室/区域、医疗舱室/区域和服务舱室/区域等。初步统计俄罗斯、美国、法国的航母舱室情况，得出表1－5和表1－6所示的结果。

表1－5　居住区域分布情况

住舱	俄罗斯	美国	法国	备注
高级军官	上层建筑2、3层	上层建筑2～4层	上层建筑2～4层	靠近驾驶室和指挥调控室，视野、光线、空气好，适合办公、休息
普通军官	吊舱甲板（飞行甲板下2层甲板，阻拦装置机械舱两侧）	飞行甲板下2、3层甲板首部（机库、维修室周围）	2层甲板（舰岛前部下方）	靠近工作舱、设备舱，条件较好
飞行员	吊舱甲板左舷的升降机附近和中部，靠近上层建筑下方区域			靠近机库和飞行准备室，便于随时待命起飞
士兵	2～7层甲板，机库甲板以下或以上靠近舰首尾			距离噪声源和振动源较近，光线、通风差，人员密集

表1－6　膳务区域分布情况

住舱	俄罗斯	美国	法国	备注
厨房餐厅	2层甲板中部、首部、尾部,7层甲板尾部	位于船首尾	2层甲板舰楼后面,2、3层甲板尾部,船尾机库下层甲板	依舰员等级划分厨房和餐厅为军官、士兵厨房(将军厨房),高级军官餐厅;士兵餐厅
设计原则	—	多中心布置(“艾森豪威尔”号)厨房集中布置	食物垂直存放(“戴高乐”号)	—

医疗舱室配合作战和居住区域布置。服务舱室配合居住区域布置,分散在各居住区和集中于人员相对较多的位置。

综上,航母的舰员依等级、功能分布于上层建筑2～4层及飞行甲板下2～7层,形成对应的物理生活区。航母虽然体积庞大,但整体资源和空间有限,在膳务、医疗、服务等共用区的设置上存在一定程度的冗余浪费,因此围绕各居住区域,遵循各共用区的自身特征来协调布置是较为科学合理的。这样可以节约共用区的整体资源和空间,在使用时可采用定时或交替等方式,也能达到较好的效果。

就航母内部的舱室环境而言,为给舰员提供温馨、舒适的工作、生活环境,各国在航母空间设计、灯光色彩运用以及细节化处理等方面,都做了不同程度的工作。

①居住舱室

法国某航母的舰长室(图1－38):内部环境质朴简约,感觉温馨舒适。

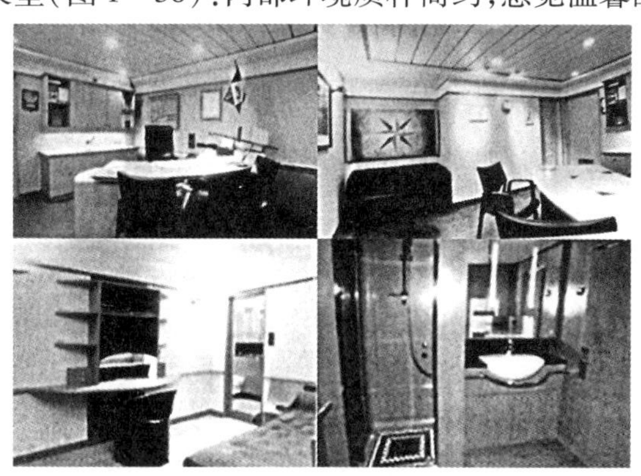

图1－38　法国某航母的舰长室

法国某航母的双人舱室(图1－39),元素质朴,色相和谐,为应对航母上的人员波动,采用上、下铺的设计模式,上铺为折叠备铺。

法国某航母的四人间(图1－40),因空间有限,无单独办公桌,利用储物柜柜门做简易书桌节约空间;上铺铺底设收缩桌板用作棋牌娱乐桌;铺端侧壁上设床头灯和储物柜,方便舰员在床上取放小件物品;采用细节化、高效化设计,考虑舰员实际需求,力求舒适温馨。

图 1－39　法国某航母的双人舱室

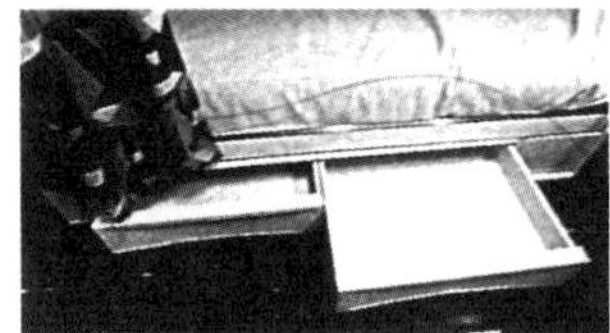
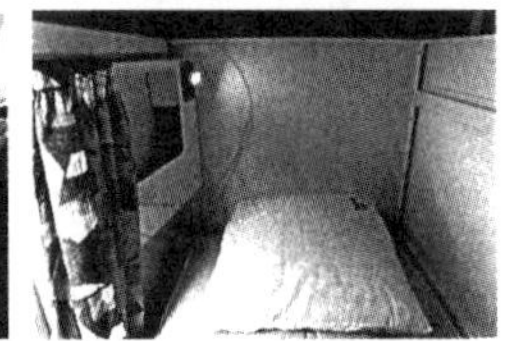

图 1－40　法国某航母的四人间

法国某航母的士兵舱(图 1－41),上层铺顶面有封板(与我国不同),防止舱顶管线对舰员的影响;住舱内空间有限,紧贴住舱的通道内设小型公共休息、娱乐区,为舰员提供额外的活动空间;设双门储物柜,存储空间大于传统水面舰船。

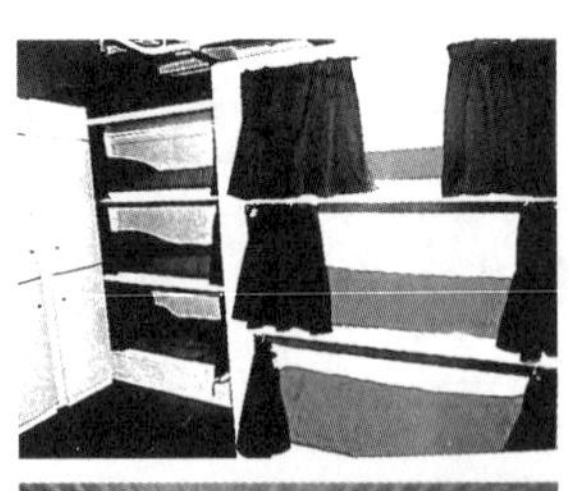

图 1－41　法国某航母的士兵舱

美国某航母舰长室和双人间(图 1-42):舰长室的使用面积略大,设有独立的卧室和办公区;双人间的储物柜柜门用作简易书桌,节约空间。

(a)卧室

(b)办公区

(c)双人间

图 1-42 美国某航母舰长室和双人间

法国某航母的单人舱室、双人舱室和士兵舱(图 1-43、图 1-44):单人舱室内部设计简约、大方;双人舱室设计贴墙折叠桌来节约空间;士兵舱空间有限,布局较为紧凑,床铺尾部设置小型储物柜,方便舰员在床上取放小件物品,贴墙设有折叠桌,节约空间。

图 1-43 法国某航母的单人舱室

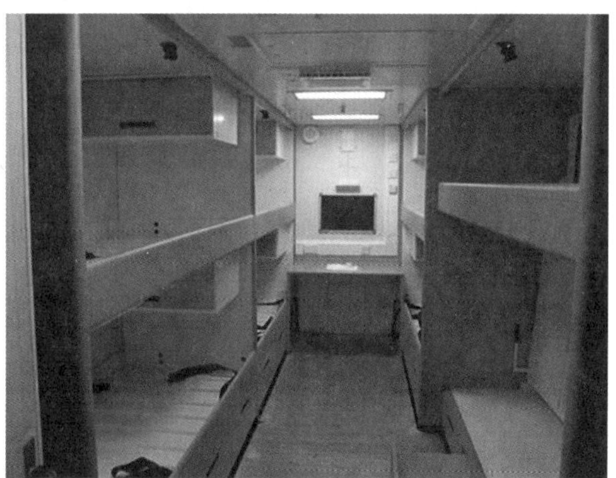

图 1-44 法国某航母的双人舱室和士兵舱

②膳务舱室

法国某航母的餐厅(图 1-45 至图 1-49):将军餐厅可兼作会议室,周围匹配小客厅、吸烟室；高级军官餐厅、下级军官餐厅和士官餐厅舱内的布置和环境，按照级别逐级降低；航空兵餐厅，这是航母不同于其他水面舰船所独有的舱室，鉴于工作的特殊性，餐厅提供快餐，航空兵站着或半坐着就餐，Z 形餐桌节约整体空间，可扩大就餐人员的餐桌使用面积，增加就餐人数。

图 1-45　法国某航母的将军餐厅

图 1-46　法国某航母的高级军官餐厅

图 1-47　法国某航母的下级军官餐厅

图 1-48　法国某航母的士官餐厅

图 1-49 法国某航母的航空兵餐厅

法国某航母的厨房(图 1-50):厨房共 3 个(将军厨房较小,能接待 24 名人员),能提供 60 份食物给高级军官,130 份给下级军官,360 份给高级士官,520 份给士官,825 份给士兵。餐品费约每人 20 法郎(人民币约 140 元),用餐时间 20~30 min。

图 1-50 法国某航母的厨房

③卫生舱室

法国某航母的卫生舱室(图 1-51):盥洗间、厕所内的同类设备集中布置,缓解高峰期的压力。

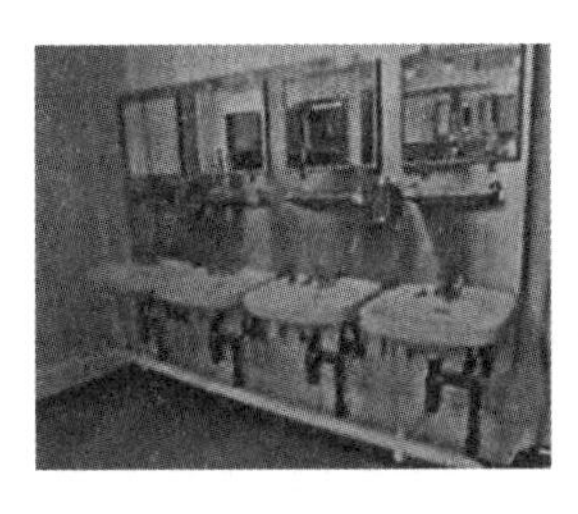
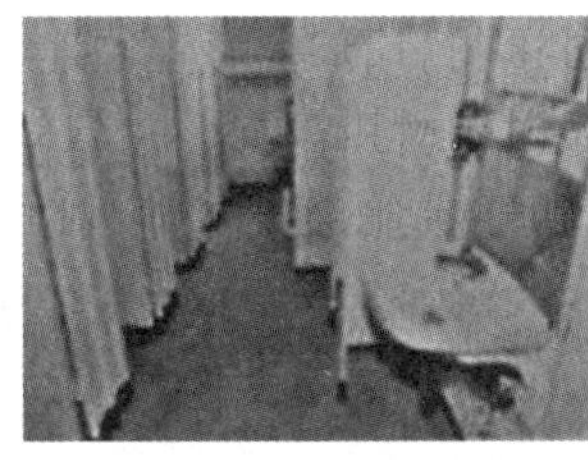

图 1-51 法国某航母的卫生舱室

④服务舱室

法国某航母的服务舱室(图 1-52 至图 1-59):包括烟吧、酒吧、咖啡厅、健身房、休息室、阅览室和医院。其中,烟吧与下级军官餐厅相邻,用于餐前、餐后的等候、休息,可以兼作手术室;酒吧分为士官酒吧和高级军官酒吧;舰员咖啡厅可划分成 3 个多功能教室,用于舰员的日常休闲;健身房可容纳 150 人;休息室配置多种娱乐设施,可兼作祈祷室;阅览室,也称图书馆,书籍可外借;医院除了设有诊疗所和护理室外,还设有病员专用的娱乐休息室、隔离室和洗衣房。

综上所述,航母在与人密切相关的舱室的环境设计上能够考虑人的主观需求,注重整体资源与空间的节约。在舱室环境的设计上力求通过多功能设计节约空间,满足舰员的细节需求,通过协调色彩、灯光等软手段增大空间感,营造温馨、舒适的氛围。

图1-52　法国某航母的烟吧

图1-53　法国某航母的士官酒吧

图1-54　法国某航母的高级军官酒吧

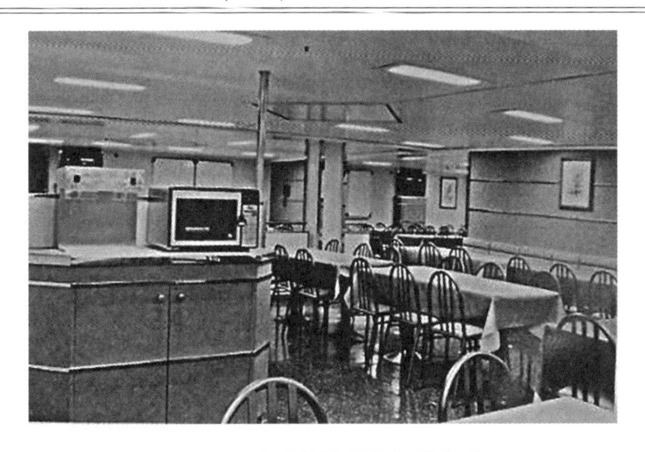

图 1－55 法国某航母的舰员咖啡厅

图 1－56 法国某航母的健身房

图 1－57 法国某航母的舰员休息室

图 1－58 法国某航母的阅览室

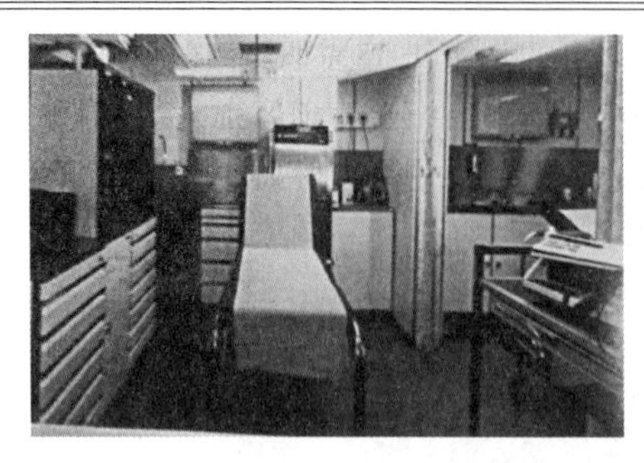
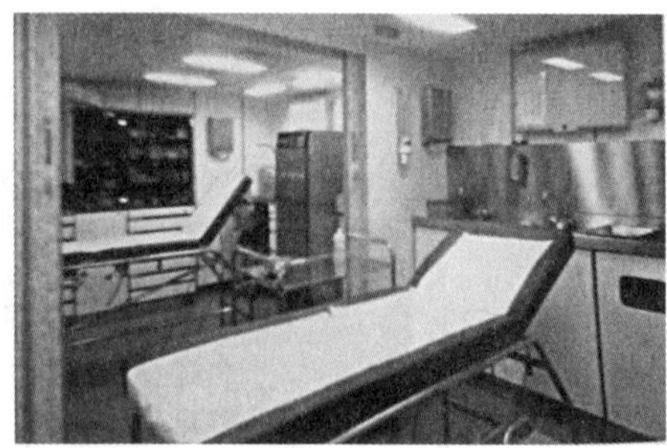

图 1-59　法国某航母的诊疗所和护理室

(4)潜艇

潜艇(图 1-60)是指潜入水下活动和作战的舰艇。潜艇具有良好的隐蔽性,较强的自给力、续航力和突击力,善于突然袭击,但自卫能力差。潜艇能够担负战略袭击和攻击大中型舰艇等任务。

图 1-60　潜艇

潜艇按作战任务可分为战略级和战术级。其中,战略级潜艇也称作弹道导弹潜艇,以弹道导弹为主要武器,主要任务为远程打击交通枢纽、基地以及战略威慑等;战术级潜艇也称作攻击潜艇,以鱼类、水雷、巡航导弹等为主要武器,主要任务为海战、护航、侦查等。潜艇无论正常排水量多大均称为艇,潜艇根据推进动力源不同分为常规动力潜艇和核动力潜艇。其中,常规动力潜艇是一种采用柴油机-蓄电池动力、能在水下隐蔽活动和战斗的潜艇,它的优点是隐蔽性好,机动性强,突击威力大,可以不依赖其他兵种的支援,长期在海上活动,进行独立作战,具有很大的威慑性;但常规动力潜艇也存在航速低、通气管航行状态充电时易暴露和自卫能力差等缺点。第二次世界大战后,各国海军均把潜艇的发展放在重要的地位。由于常规动力潜艇具有噪声小、价格低、建造周期短、可以在浅海区域活动的特点,更适于沿海作战,因而受到中、小国家的欢迎。截至 2018 年,全球能够建造潜艇的国家已超过 20 个,具备独立设计、建造能力的也已超过 10 个。核动力潜艇简称为核潜艇,核潜艇的动力装置是核反应堆。之所以称为核潜艇是因为它是以核能为推进动力源的潜艇,也就是说在核反应堆中产生了热能,由一回路中的水把热量带走,传递到蒸汽发生器中加热二回路侧的水成为蒸汽,再由产生的蒸汽带动汽轮机转动。与核电站不同的是,在舰船上不是要产生电能,而是要带动螺旋桨产生动力。因为其强大的续航性,核潜艇在军事战争中备受关注。核潜艇是一国潜艇中的战略力量,弹道导弹核潜艇(也称作战略核潜艇)为当前军事理念中军事核能“三位一体”中海基核力量的主要实现形式。

长期以来,由于潜艇的战略重要性和客观环境的特殊性,潜艇的空间划分、舱室设计往往是优先满足武器装备、操纵系统和动力系统,再考虑工作舱室和居住舱室的布置与设计,把与艇员关系最为密切的居住舱室放在从属地位,这给艇员的作战、训练、工作、生活等带来许多困难,也在一定程度上影响了潜艇战斗力的发挥。

潜艇的舱室布置和内部环境设计与其他战斗舰艇相比,具有明显的特殊性,比如空间封闭狭小。潜艇长期在恶劣的海洋环境下作战,艇上武备众多,配备人员较多,舱室有效使用面积的标准非常低,居住环境差。潜艇的居住舱室很分散,一般靠近战位布置,而且较好的位置往往被设备和系统所占据,除指挥舱和柴油机舱外,均有住舱和吊铺分布。机械设备运转的噪声、封闭舱室内的空气环境等诸多因素,造成潜艇的居住环境非常恶劣,居住舱室不完整。潜艇的总体设计和建造,多是重视改进武备和动力性能,忽视居住生活设施的改善。当设备安装位置不足时,往往牺牲居住舱室有限的生活空间,结果就是完好的围壁被分割,家具尺寸受限,其材料理化性能要求较高。潜艇内空间狭小,舱室内的家具必须精巧耐用、轻质、装拆方便。艇内家具材质及其他装饰材料,除了满足防火性能要求外,其毒理性能还必须满足《常规动力潜艇舱室空气组分容许浓度》(GJB 11.3—1991)中关于潜艇舱室空气组分容许浓度的要求。图1－61和图1－62为某潜艇的舱室空间划分情况及潜艇内部舱室设置情况。

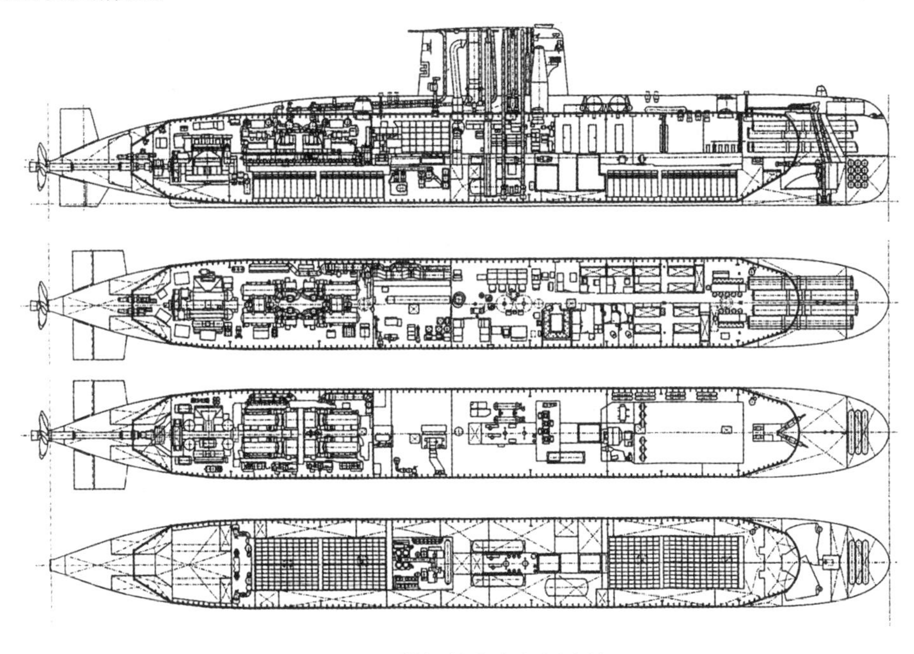

图1－61　潜艇舱室空间划分情况

对于民用船舶来说,舱室内部环境的好坏,已被公认为是衡量船舶性能优劣的一项重要指标。对于战斗舰艇,特别是潜艇而言,舱室环境设计的优劣,更是直接关系艇员的身体健康水平以及精神状态。

随着国际海洋格局的形势发展,海军潜艇部队得到了长足的发展,艇上指战员对自己长期工作和生活的环境的要求日益提高,因此在潜艇的设计建造中,充分利用有效空间,优化舱室环境设计,为艇员营造一个安全、实用、相对较好的舱室空间环境,这对于增强潜艇的战斗力无疑具有十分重要的意义。

图 1-62 潜艇内部舱室设置情况

2. 辅助舰船

辅助舰船的型号很多，如补给船、医院船、救助船、情报支援船、试验训练船、港务支援船等。其中，补给船和医院船在国内外军事战斗和民事援助等方面发挥了重要作用。

(1)补给船

补给船是在航行状态下利用专门的补给装置和直升机为作战舰艇提供各种补给品的后勤保障舰船。作战舰艇通过航行补给延长了活动半径，提高了在航率，可以长时间在海上执勤，避免了对固定基地的依赖。补给船所携带的补给品有液货和干货，液货主要包括燃油、航空煤油、润滑油、淡水等；干货主要有弹药(包括导弹、鱼雷)、粮食、冷藏食品、医疗器材及各种备品备件等。补给船按所载补给品分为燃油补给船、弹药补给船、军需补给船和综合补给船。图 1-63 所示为某综合补给船。各类干、液货物储藏舱，船员工作、生活舱室分布于主船体和上层建筑的各层甲板上。随着军民海事活跃度的提升，补给船除了用于海上后勤补给、战略海运、为陆上部队提供支持，还要兼顾灾难救援、人道主义援助和民事行动。不断增加的使命要求，增加了补给船的舱室设计压力，设计时既要满足基本的使用功能，又要注意人性化设计，提高舒适性，以保证补给船的综合作业效率。

图 1－63　综合补给船

(2)医院船

医院船是能为军队提供海上医疗救护等综合卫勤保障的移动医疗平台。随着各国海军的不断发展及现代海战的实际需求,大型现代化医院船已成为现代海军的重要标志之一。图 1－64 为我国"和平方舟"号医院船,2008 年列装,是国际上第一艘专门设计的万吨级专业医院船。医院船内舱室众多,分为医疗区和生活区。该医院船共分 8 层,其中医疗系统和医院舱室主要分布在 01、02、03、1、2、3 甲板,总面积达 4 000 m^2,船上共有 217 种2 406(台)套医疗设备,300 张病床,为便于内部伤员转运,船内还设有医用电梯 3 部。船上有电子计算机断层扫描(CT)室、数字化 X 光机(DR)室、特诊室、特检室、口腔诊疗室、眼耳鼻喉诊室、药房、血库、制氧站、中心负荷吸引系统和压缩空气系统等医疗保障系统;配设多个手术室和护士站;船上还设有远程医疗会诊系统。其硬件设施相当于陆上三甲医院水平。

图 1－64　"和平方舟"号医院船

医院船可以理解为"海上的流动医院",主要收治来自海上的"伤""病"人员。为了保障不同形势下海上医务工作的高效进行,必须满足船上医务人员与伤病员的衣、食、住、行等方面的需求,同时要力求营造良好、舒适的舱室环境,尽可能提供舒适的船员活动空间。

第三节　船舶舱室环境工程

船舶舱室是船舶建筑的内部空间。在这种内部空间里,人们通过不同的感官,将视觉、听觉、触觉等多方位的感受,以设备、色彩、光线、声音、材料质地所构成的物质环境来体现。船舶内部的这种舱室环境不仅能满足人们的生活、学习、工作、休闲娱乐等物质方面的基本需求,还能满足人们日益提高的心理、生理、审美等精神方面的需求。

随着人们物质生活水平以及造船技术水平的不断提高，人们对各类水上工具的要求不断加强，尤其是人的主观能动性受到了越来越多的重视，为此军、民用船舶舱室的设计建造，不仅仅是传统的舱室设计和船舶内装，还应从系统工程、人机环境工程等角度出发，明确船上人－机－环境的相互关系，厘清船舶舱室内部的环境要素，从而以新的层次、理念来考虑船舶舱室环境问题。

一、舱室环境工程的内涵

所谓舱室环境工程是指以人的需求、感受作为设计的出发点，以系统工程、人－机－环境工程、集成优化技术、艺术美学等为理论支撑，综合运用舱室功能设计、配套设施优化设计、内装环境设计、空气环境设计、噪声环境控制、材料与结构轻量化设计等技术方法，建立舱室环境要素与舱室自身乃至船舶整体的集成关系体系，全面提高船舶的舱内环境，保证舒适、安全乃至“美”的工作和生活环境（图1－65）。

图1－65　船舶舱室环境工程简图

船舶的舱室环境工程理念并非凭空产生，它是人们对海上工作、生活要求的不断提高，对人－机－环境关系的不断重视以及造船技术水平不断发展的必然产物。船舶舱室环境工程隶属于船舶人－机－环境系统工程，这一理念的建立与系统工程、人机工程、人机环境系统工程等基础理论密不可分，是船舶人、机、环境三大要素的集中体现。

船舶舱室环境工程是始于系统理论，指导工程实践的先进理念。它对应了不同的等级、层面和形态，是随着造船技术、理论基础以及社会需求而不断发展的。舱室环境工程理念具有通用性和发展性，旨在提高各类船舶的适居性和舒适性。如舱室环境工程的初级模式，即基本设计层面，其对应的是传统军、民用船舶的舱室设计状态，优先满足各类船舶的使用要求；舱室环境工程的中级模式，即中级设计层面，对应于现代军、民用船舶的舱室设计和内装发展状态，除了满足最基本的功能要求外，有意识地强调人的需求和作用，致力于提高各类军、民用船舶的舒适性，改善舱室环境要素；舱室环境工程的高级模式，即顶层设计层面，对应豪华邮轮与新一代高技术船舶，除了最基本的功能要求，系统完善的舱室环境外，还要强调多方位的美学、舒适乃至高端“豪华”等精神层面的享受（图1－66）。

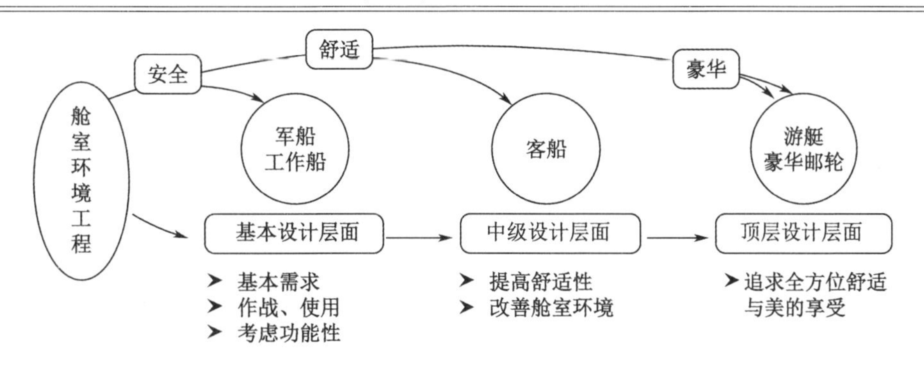

图1－66 船舶舱室环境工程的等级模式

对船舶舱室的内部空间进行设计,以达到完美、紧凑、提高工作效率的目的。舱室内部环境的设计又与舱室所要反映的主题思想密切相关。也就是说,舱室内部空间通过环境的设计,应表达明确的主题思想,以突出该舱室存在的与功能相符的鲜明性格。实际上这种主题思想和性格是根据各舱室的功能需求,运用正确的审美观点和丰富的物质材料以及各种形体知识来体现的。

就其整体而言,船舶的各类舱室应与全船的外形协调、统一,从内部布置上要体现朴实大方的特点。但在整体风格协调的同时,又有其个性和各自不同的特点,这就是舱室内部环境设计的明确主题。如会议室应该力求庄重、质朴和大方,餐厅却要求宽敞、明亮、轻快、整洁,俱乐部或其他娱乐场所应健康、轻松、热烈、活泼、愉快,居住舱则应讲究安静、舒适、亲切,阅览室、休息室要求安静和素雅。总之,在舱室环境的设计中,家具布置、色彩运用、灯火照明、装饰工艺等各方面,都应围绕不同舱室的不同主题思想和个性化要求综合考虑、妥善布置。

船舶舱室环境工程的具体内容一般是指船舶舱室的区划、空间设计,舱室内色彩、灯光、家具、陈设、设备等的设计与布置。船舶舱室设计同船舶的类型、用途、人员数量等有密切的关系。在现代船舶中,舱室环境工程设计不仅应满足人们的生活、学习、工作等物质方面的基本需求,还应满足人们心理、生理和审美等精神方面的需求。

二、概念起源

21世纪,船舶发展趋向于大型化、封闭化,人们对海上出行环境的要求越来越高,人－机－环境系统工程在船舶上的应用越发重要。尽管国内已经有了与船舶人－机－环境系统工程相关的一些人机工程学标准,但是这些标准不够完善,尤其与人密切相关的舱室方面的准则要求有待加强。因此,明确船舶舱室内部的环境要素,尤其是舱室内部人－机－环境系统的相互关系,建立舱室环境工程理念,对船舶的设计、评估等是十分重要的,并且具有广泛的实际应用价值。船舶作为重要的水上交通工具,人们对其工作效率、安全性、舒适性等有着很大程度的需求,因而船舶舱室环境工程的实施具有十分积极的意义。

船舶作为一个巨系统,内部纷繁复杂,各子系统和内外因素相互交错、相互作用、相互影响。若其工作效率低,势必会消耗许多的人力、物力、财力和时间,也会影响船舶的其他性能。如果安全性得不到保证,将会造成一定程度的减员,甚至遭受致命性的损毁。人是决定船舶工作效率和安全性的直接载体。船上动力、机电设备繁多,信息流、人流、物流十分复杂,几乎所有的作业都有人的直接参与,人员决定了作业的效率和安全性。船舶作业需要人员精力高度集中,这势必会给各作业人员造成很大的生理和心理压力。此外,大型船舶人员众多,并需要长期在远海工作,相对封闭的环境也会影响人的身体和精神状况,容易出现生理和心理问题。

人员出现问题,会造成作业的风险性提高,作业效率和安全性自然相应降低。要提高作业效率和安全性就要降低作业风险,要降低作业风险就要保证人员不出现任何的生理和心理上的问题,要保证人员不出现任何的生理和心理上的问题,就要减小人员身体上和精神上的压力。为了减小压力,就需要设备和环境友好地与人配合。船舶舱室环境工程的提出和应用就是为了解决这个问题。

舱室环境工程概念源于欧美先进舰船、豪华邮轮等的舱室设计理念。目前舱室环境工程理念已在欧美海军舰船、高技术船舶、游艇、豪华邮轮等领域广泛应用。它不仅要满足人们物质方面的基本需求,还要满足人们日益提高的精神方面的需求。舱室环境工程是船舶形成人体感受美与视觉美的重要组成部分,旨在运用舱室功能设计、配套设施优化设计、内装环境设计、空气环境设计、噪声环境控制、舱室安全性设计等方法提高船舶舱室的内部环境和适居性,为人们提供一个舒适、安全、经济的海上工作和生活环境。

近十几年来,造船的新理论、新工艺、新材料得到迅猛发展。船舶舱室采用了新的材料、新的结构形式、新的设备,特别是有关的国际公约、规则、法则、规范、标准不断更新和补充,对船舶舱室在防火阻燃、保温隔热、吸声防噪等方面提出了更严格的要求。这些因素促进了船舶舱室在设计、选材等方面的变革。

船舶舱室环境工程是对当前或未来设计的船舶所进行的满足功能要求的美学构思和设想,是设计师们的智力活动,是通过文字、图样、模型或者综合表达方式,使所设计的船舶在外观形态、内部空间、装饰美化和人机关系等方面更适应船舶性能的特点,更符合人类心理和生理需要而进行的构思过程。它涉及船舶工程、造船工艺、社会学、经济学、心理学、生理学、美学和人机工程学等学科。

船舶舱室环境工程实际上是室内空间和环境的设计,是对船舶方案设计的深化,是为了构成预想的舱室生活、工作、学习等必需的环境空间而进行的设计工作。通常所提到的船舶舱室装饰与装修,仅仅是实现舱室内部空间环境设计与控制手段及其局部设计工作而已。舱室环境工程的主要工作还包括舱室系统设计和舱室空间微环境设计等内容。

船舶舱室环境工程是一门复杂的综合学科,它不仅要考虑舱室空间六面体的问题,而且需运用多学科知识,综合地进行多层次的空间设计和环境的控制。通过舱室系统设计和舱室空间环境设计,最终获得良好的船舶舱室效果。

三、未来发展

随着船舶工业的发展和人们生活质量的提高,船员和旅客对居住环境的要求也提高了,在陆上居室中能找到的,在船上几乎都有,有的船舶舱室的豪华程度甚至超过了陆上的星级宾馆。从我国造船工业来看,无论在船舶设计还是在船舶建造中,问题往往集中在船舶的舾装,尤其是在舱室部分。过去,由于我国对舱室设计不够重视,与造船技术先进的国家相比较差距很大,因而提高我国舱室设计水平是我国造船界的共识。目前舱室设计还没有公认的定义,普遍认为舱室设计是指船舶内部居住环境的设计,也就是通过设计,人为地改善船内的各种条件,为船员和乘客创造一个适合工作、居住、旅游和娱乐的优良环境。由此可见,先进的舱室环境工程理念的出现,正好可以解决舱室设计的瓶颈问题,因此其在国内市场具有广阔的发展前景。

造船工艺的发展和设计方法的多样化为舱室设计理念的改变提供了良好的条件。从起初的简单划分和布置到科学系统地合理设计布置,本着“以人为本,物为人用”的原则,充分按照人的需要、人体特征、人的活动规律、人的心理特点来创造与组织舱室工作和生活环境。随着船级社法规和国际公约的完善及实施,长期以适用性为核心的舱室设计理念也逐渐向追求舒适的方向发展。这些有助于舱室环境工程在国内造船领域的推广。

一直以来,欧美等造船强国十分重视船舶的舱室环境,并进行了系统性综合研究和推广,制定了一系列规范和标准。早在1946年,国际劳工组织(ILO)就提出《船员在船上起居舱室公约》,并逐步修改完善,将卫生、安全、娱乐设施考虑其中。美国自1975年开始关注船舶舱室环境,即适居性问题,并制定详细的手册、规范以改善船员的生活、工作环境。2001年,挪威出台《挪威石油工业技术法规》(NORSOK),将舱室环境工程与船舶性能、安全等置于同等地位。研究发现,国外船舶舱室环境研究工作主要集中在舱室内装环境、空气环境、噪声环境、舱室消防、安全环境及配套材料等方面。国际上,舱室环境工程在船舶上的应用经验丰富,成果显著。美英的船舶发展历史悠久,国家军事研究投资巨大,对应的舱室环境工程在舰船上的应用已经有了相当大的规模和进展。美国高度重视大型船舶的舱室环境工程问题,军方拥有的相关设计准则有《人机工程系统的分析数据》《军事系统人机工程学设计准则》《人机工程过程和程序标准》《船舶居住性设计原则》《舰船居住性规范》以及大量分解到各部位(厨房、住舱等)的相应人机工程学标准。美国的大型船舶在研究设计阶段就要遵守这些成型的标准,在大型船舶下水运行后还要进行相应的跟踪调查以评估人-机-环境系统工程指标,并收集数据以及对现有标准进行补充和修正。

我国20世纪90年代开始关注舱室环境质量。在人-机-环境系统工程方面,海军已经开展一系列科研工作,取得了一定的研究成果,目前新一代舰船的人-机-环境质量有了较大提高。但是,国内相关的标准文件较少且不够详细,主要有《军事装备和设施的人机工程设计准则》(GJB 2873—1997)和《船舶通用规范》(GJB 4000—2000),这些标准分别规定了设备和设施的人机工程设计准则、船舶通用规范、船舶人机工程要求等。国内的标准、规范,主要是针对现有的水面舰艇(驱护舰)而制定的,通用性不强。尤其针对大型船舶的舱室环境以及居住性方面的规范,国内至今还未提出。现阶段国内船舶的舱室环境设计在满足功能要求和工作需求的前提下,逐步追求舒适、美观,但在内装设计、空气品质、噪声环境以及配套材料方面,同国外相比仍有一定差距。系统分析国内外船舶舱室环境工程的具体情况,得出以下结论:

①国外船舶舱室环境准则、规范较为成熟、体系全面,在船舶方案设计阶段,综合考虑舱室环境。舱室分隔布置设计时考虑舱室绝缘、空调分区、噪声控制、材料安全等方面。舱室布置时考虑舱室功能、色彩与光环境、家具设施功能、空调通风系统、降噪等。

②国外军、民用船舶,对舱室环境的要求较高,强调安静、舒适、协调。豪华邮轮又将舱室环境工程理念及设计水平提升到了一个追求舒适、美观、品质的新高度,尤其是居住舱室,在规划设计中更体现了绿色、信息、智能化、人文化的特点。

③我国舱室环境工程起步晚,相关技术、体系仍需完善。早期舱室设计的功能性较强,对人的重视程度不够。舱室环境工程理念的形成、发展,军、民用船舶在内装、灯光、色彩、

空调通风、噪声控制、新材料应用等方面取得了较大进步,缩短了与国际领先水平之间的差距。但目前暂无达到世界级技术的豪华邮轮,对应的舱室环境工程体系尚未建立。面对邮轮及新一代舰船对舱室环境设计的高指标要求,需开启舱室环境工程的顶级设计模式,进行有针对性的豪华邮轮舱室环境工程设计与配套材料技术研究。

综上,考虑到舱室环境工程的国内外发展形势以及国内船舶设计建造及配套水平,未来船舶舱室环境工程的发展,应体现在以下方面:

①细化并明确舱室环境要素。船舶舱室的种类繁多、功能不同,内部环境要素涉及人-机-环境等各个方面,十分复杂(图1-67)。

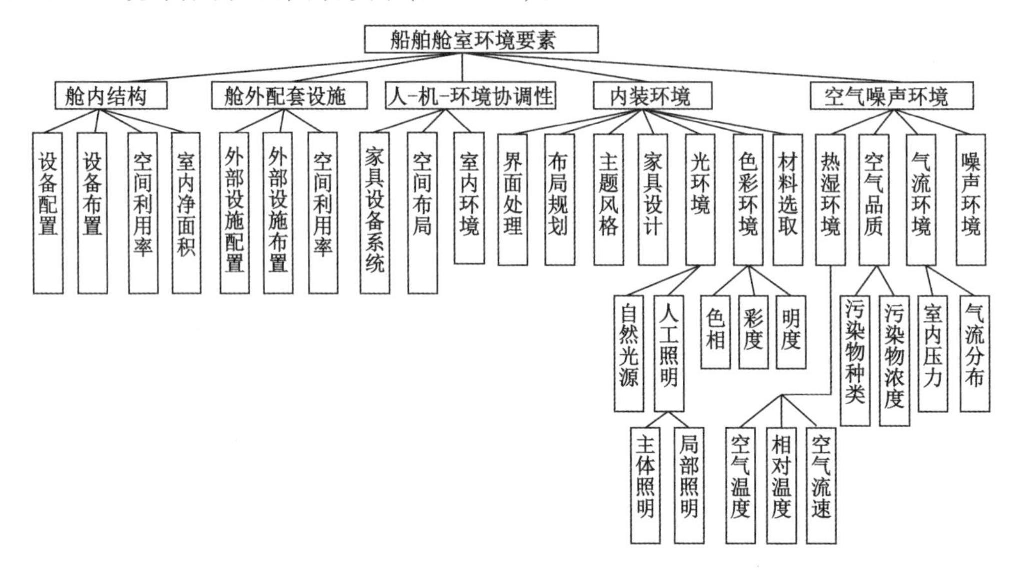

图1-67 船舶舱室环境要素

②加强先进技术研究。重点进行舱室环境工程相关的总体与系统集成、舱室环境内装美学系统化与数字化、舱室噪声环境、舱室空气环境控制、舱室环境工程轻量化设计与配套材料、舱室环境安全性与配套系统、标准化预制舱室单元与高效工程实施等方面的研究。

③核心技术突破。虽然国内造船界在初级舱室环境工程与配套材料设计应用方面取得了一定的进展,但中、高级舱室环境方面的相关设计经验匮乏,尤其在舱室环境总体技术、豪华内装、空气噪声环境控制、轻量化技术应用等方面同国外相比存在一定差距,因而需要针对船舶舱室环境工程的各项核心瓶颈技术逐个进行突破。

(1)舱室环境工程总体与系统集成技术

对构成舱室环境的各个要素进行总体把控,落实人-机-环境工程和系统工程的理念。

(2)舱室环境数字化设计技术

目前,虚拟现实(VR)技术等新技术蓬勃发展,陆用建筑行业已开始利用该类技术建立三维全景模型,可在手机、电脑终端用APP直接查看三维模型方案。还可通过VR设备为客户呈现身临其境的模型舱室参观感受,并且可以切换模型内家具、设备、材料的颜色。如果此项技术也能应用在船舶舱室设计方面,不仅可以改变以往只向客户展示平面设计方案,样品色卡小样太小,客户无法直观、全面感受的缺点,也可以一定程度上节省部分重点工程必须制作多个样板舱室所造成的资源浪费。船舶制造企业可通过建立该类舱室设计模型数据库方便船东参观及选择，展现出主动服务客户的态度，提升企业的竞争力。

①虚拟仿真技术，包括高精度数字模型构建技术、高写实光影关系的构建、人机数据接口技术、全景 VR 技术、虚拟漫游技术等。

②虚拟交互设计与技术，包括人与虚拟环境及虚拟对象间互动方式、互动界面、互动体验方面的研究及技术实现（图 1－68）。

图 1－68　舱室设计的虚拟交互技术

③虚拟评估技术，将眼动追踪、体感追踪等技术引入虚拟环境中，构建评估模型体系，通过技术研发实现通过虚拟环境对真实设计方案的评估。

（3）舱室噪声环境控制技术——低噪声舱室设计流程

对低噪声舱室噪声指标要求、设计方案、材料选用、设备选用进行系统的研究。

（4）舱室空气环境控制技术——舱室气流组织优化技术研究

综合考察不同送风形式和送风参数情况下气流组织形式和变化的规律，进行评价和分析。船舶内有很多特殊类型的舱室或舱段气流组织不易观察，测量困难，尤其是在细节上缺少判定方法。

（5）舱室环境工程轻量化设计与配套材料技术

船舶舱室环境工程要注重新技术、新工艺、新材料的借鉴和应用。

①轻量化技术，包含材料轻量化、结构轻量化、设备轻量化以及工艺轻量化这 4 个部分。需要多个专业、学科的交叉配合以及多种技术手段的综合应用，进而实现船舶舱室减重的目标，最终获得经济、环境效益。

②轻量化、多功能板材设计优化技术，虽然船用板材种类繁多，但往往单一特征突出，通用性不强。针对船舶的使用要求，通过仿真、测试等多种手段，权衡质量、隔声、保温等多重要素，优化设计结构——功能一体化板材结构，实现板材轻量化与多功能的统一设计。

（6）标准化预制舱室单元设计与工程实施技术

许多船舶企业舱室设计、施工能力通常有限，可将部分舱室的设计及施工由陆地公司整体承包，船厂在关键技术指标上提出要求并严格把关，逐渐引入适合船用的好的设计方案来实现舱室设计水平的提升。

①预制舱室单元轻量化。在保证预制舱室单元的功能性、美观性、安全性的前提下，控制并减轻整体质量，研究集装饰性、功能性、安全性于一体的轻型舱室材料与设备，以及其在预制舱室单元上的应用。

②整体吊装技术。预制舱室单元整体吊装技术为舱室设计成败的关键。要保证质量最轻的情况下，完整的预制舱室单元在吊装、运输过程中不破损、不变形，需要综合考虑预制舱室单元的结构框架、板材强度、连接形式、内部设备的强度、吊环设置、临时加强等各方面因素。

另外,我国在舱室环境设计方面起步较晚,与发达国家仍有不小差距。未来还需要造船企业、船舶配套企业、船舶内装设计工程师不断探索、进步。尤其要重视对舱室环境设计人才的培养。舱室环境设计需依赖于设计师,他们不仅需要熟悉船用规范,掌握船舶基础知识和熟悉船舶舱室施工现场相关情况,还需要一定的艺术设计背景和美学功底。而我国目前普遍的实际情况是学船的不懂艺术,学艺术的不懂船。这也使船厂舱室设计缺乏艺术感、现代感,而市场上的家装公司及家装设计师懂艺术设计,但不懂船,初次设计出的方案不经船厂设计师把关的话,往往会脱离实际,华丽而不实用。因此,国内急需改变目前这种复合型人才匮乏的现状。

随着船舶工业的发展和人们生活质量的提高,船员和旅客对海上工作、生活、休闲娱乐环境方面的要求越来越高。生活、居住舱室是船舶舱室环境设计的重要组成部分,良好的居住环境是船上人员身体健康和精神饱满的重要保证。因此,如何在军、民用船舶的现有条件下改善生活、居住舱室的内部环境,成了设计研究人员当前首要解决的问题。舱室环境设计在满足各项规范、公约的同时,要借鉴“以人为主,物为人用”的原则。设计时应从人－机－环境等多方面综合考虑,在满足船舶各项功能的同时,做到人性化合理布置,尽量实现科学、舒适、美观,更加注重精神与情感层面的需求,追求具有人文色彩与文化内涵的舱室环境。

第二章　船舶舱室环境工程理论基础

船舶舱室环境工程理念并非是凭空产生的，它是社会生活水平以及造船技术不断发展，以及人们对海上工作、生活、出行、休闲等要求不断提高，对人－机－环境关系不断重视的必然产物。现代船舶既是一部超巨机器，又是一个水上工厂，也是一座水上城市，具有作为交通运输、作业、海上作战等机器的特点。在海洋、江河、港湾等宏观大环境里，船舶自身及其内部舱室又构成许多不同尺度的环境空间，这些空间既为人所操控，又是人的工作、生活空间，它们相互影响、密不可分。因而，船舶舱室环境工程可归属于人－机－环境系统工程，这一理念与系统工程、人机工程等基础理论密不可分，是船舶人、机、环境三要素的集中体现。

第一节　系统工程

船舶是一个巨型系统，船舶内部鳞次栉比的舱室也构成了相对独立的子系统，均隶属于系统工程的范畴。

一、系统

1. 系统的定义

系统是系统理论的基本概念，它浓缩和囊括了系统理论的基本内容。然而，由于水、陆、空等各行各业的研究领域不同，应用对象和理解的角度不同，对系统的定义也多有不同。

在《韦氏大辞典》中，“系统”一词被解释为“有组织的或被组织化的整体；结合着的整体所形成的各种概念和原理的综合；由有规则的相互作用、相互依存的形式组成的诸要素结合等”。在《日本工业标准》(JIS)中，“系统”被定义为“许多组成要素保持有机的秩序，向同一目的行动的东西”。美国著名学者 L. V. 贝塔朗菲把“系统”定义为“相互作用的诸要素的综合体”。美国学者阿柯夫认为：“系统是由两个或两个以上相互联系的任何种类的要素所构成的集合。”因此，系统不是一个可分解的要素，而是一个可分成许多部分的整体。我国著名科学家钱学森将“系统”定义为“把极其复杂的研究对象称为系统，即由相互作用和相互依赖的若干组成部分结合成具有特定功能的有机整体，而且这个‘系统’本身又是它所从属的一个更大系统的组成部分。”

综上，融合世界各国专家对系统的理解得出，所谓系统是指由互相关联、互相制约、互相作用的一些部分所组成的具有某种特定功能的综合体。相互关联、制约、作用的组成部分称为系统的结构，系统结构也可以是一个系统，称为原系统的子系统。原系统可能是更大系统的组成部分,从而构成更大系统的子系统。

2. 系统的分类与特征

(1)系统的分类

系统是客观世界存在的普通形态,一个家庭是一个系统,一艘船舶是一个系统,一个城市是一个系统,一个国家、整个太阳系……也都是一个个系统。世界上的系统千差万别,可以从不同的角度将它们分为不同的类别(图 2 - 1)。

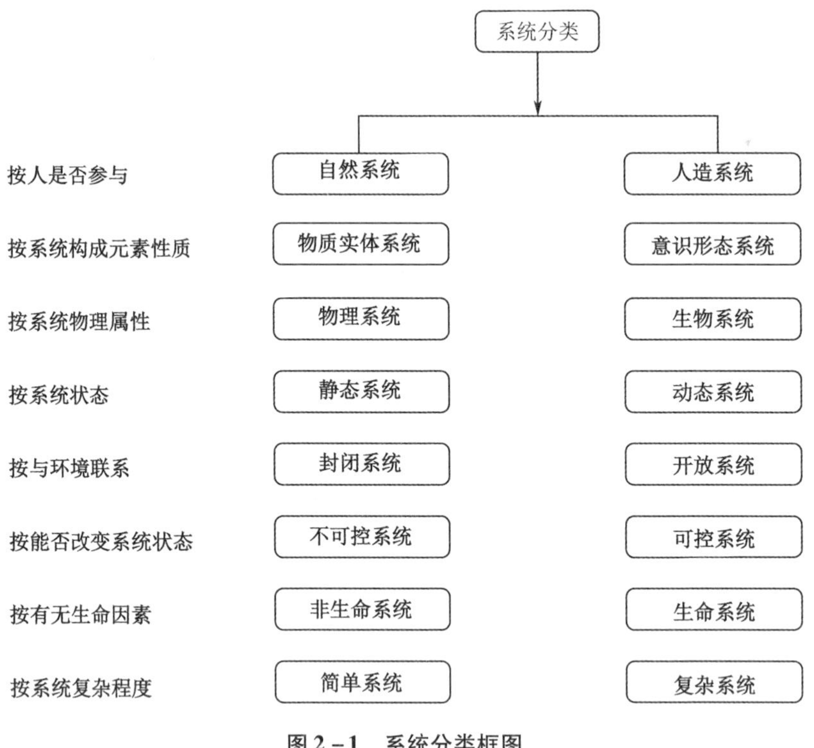

图 2 - 1　系统分类框图

不管是哪类系统,按其子系统数量和种类多少,以及子系统之间相互关系的复杂程度,都可划分为简单系统和复杂系统。

本书讨论的船舶系统、船内各舱室系统均属于人造、物理、可控的复杂系统,多数是生命系统,个别是非生命系统。例如,除无人船/艇是非生命系统,其他军、民用船舶都是生命系统。

(2)系统的特征

系统的特征可以归纳为以下几点。

①整体性

系统的整体性可以表述为系统整体不等于各组成元素之和,即非加和原则,$1 + 1 \neq 2$。这是由于系统的整体功能取决于一定结构的系统中的各组成元素间的协调关系。这里存在两个假设。假设一:系统中每个元素的功能是良好的,但元素步调不一,协同不好,作为整体就不可能具有良好的功能,这种系统不能称为完善的系统。假设二:系统中每个元素的功能并不很完善,但它们协同一致,结构良好,作为整体具有良好的功能。系统工程就是要使系统整体功能大于各组成元素的功能之和。

②相关性

系统中相互关联的部分或部件形成“部件集”,“集”中各部分的特性、行为相互制约、相互影响,这种相关性确定了系统的性质和形态。

③目的性

人工系统和复合系统都具有一定的目的性,要达到既定的目的,系统必须具有一定的功能。没有目的的系统不属于系统工程的研究对象。自然系统不存在目的,但有功能。目的性只是人工系统和复合系统所有,而功能是所有系统都有。

④有序性

由于系统的结构、功能和层次的动态演变有某种方向性,因而系统具有有序性的特点。系统的有序性可以表述为系统是由较低级的子系统组成的,而该系统自己又是更大系统的一个子系统。系统的有序性揭示了系统与系统之间存在包含、隶属、支配、权威、服从的关系,统称为传递关系。系统的有序性原则启发人们在研究、解决问题时不能离开系统的有序层次结构,并要注意上下左右的协调关系,只有这样才能取得成功。

⑤动态性

物质和运动是密不可分的,各种物质的特性、形态、结构、功能及其规律性,都是通过运动表现出来的,要认识物质首先要研究物质的运动,系统的动态性使其具有生命周期。开放系统和外界环境有物质、能量和信息的交换,系统内部结构也可以随时间变化。一般来讲,系统的发展是一个有方向性的动态过程。

⑥环境适应性

任何一个系统都存在于一定的物质环境(更大的系统)之中,它必然要与外界环境产生物质、能量和信息的交换,外界环境的变化必然会引起系统内部各要素之间的变化。因此,为了保持和恢复系统原有特性,系统必须具有对环境的适应能力,这就像元素必须适应系统一样,因为系统 + 环境 = 更大的系统。系统的环境适应性要求我们研究系统时必须放宽眼界,不但要看到整个系统本身,还要看到系统的环境和背景。只有在一定的背景上考察系统,才能看清系统的全貌;只有在一定的环境中研究系统,才能有效地解决系统问题。

3. 系统的结构与功能

(1)系统的结构

大千世界有各种各样的系统,每种系统的具体结构大不一样,大系统的结构往往是很复杂的,但是从一般的意义上讲,系统的结构可以用以下式子表示:

$$S = \{\Omega, R\} \tag{2-1}$$

式中　S——系统;

Ω——元素的集合;

R——元素之间的各种关系的集合。

由式(2-1)可知,一个系统必须包括其元素的集合与元素之间的各种关系的集合,两者缺一不可。只有两者结合起来,才能决定一个系统的具体结构与特定功能。

(2)系统的功能

各种系统的特定功能是大不一样的,从一般的意义上讲,系统的功能如图 2-2 所示。

系统的输入是作为原材料的物质、能量与信息,系统的输出是经过处理(转换或加工)的物质、能量与信息,例如产品、人才、成果、服务等。系统的功能可以解释为一种处理或转换机构,它把输入转变为人们所需要的输出。也可以说,处理或转换就是系统的功能。例如,船厂的基本功能就是把各种原材料(包括物质、能量、信息)经过转换,变为船东或市场所需要的船舶产品。

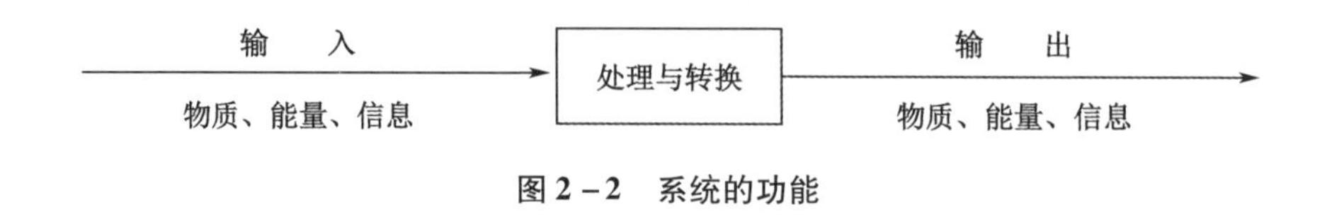

图2-2　系统的功能

二、系统工程

1.系统工程的定义

所谓系统工程是对系统进行分析、设计和建造的一种工程化实施的科学方法。系统工程这个词来源于英文"system engineering"。概括地讲,系统工程在系统科学结构体系中,属于工程技术类,它是一门新兴的学科,是以系统为研究对象的工程技术,国内外有一些学者对系统工程的定义有过不少的阐述,但至今仍无统一的定义。现列举一些国内外学者对系统工程所做的解释,为我们认识系统工程、理解船舶舱室环境工程提供线索和帮助。

1975年美国《科学技术辞典》注释系统工程是研究许多密切联系的元素所组成的复杂系统设计的科学。在设计时,应有明确的预定功能和目标,并使得各个组成元素之间以及各元素与系统整体之间有机联系,配合协调,从而使系统整体能够达到最佳的目标。同时还要考虑参与系统中人的因素与作用。

1977年日本学者三浦武雄指出系统工程与其他工程学的不同点在于它是跨越许多学科的科学,而且是填补这些学科边界空白的一种边缘学科。因为系统工程的目的是研制一个系统,而系统不仅涉及工程学的领域,还涉及社会、经济和政治等领域。所以为了适当地解决这些领域的问题,除了需要某些纵向技术外,还要有一种技术从横向把它们组织起来,这种横向的技术就是系统工程。日本工业标准《运筹学术语》中定义系统工程学是为了最优地达到系统目标而对系统的构成要素、组织结构、信息流通和控制机构进行分析的技术。

我国学者钱学森认为系统工程是组织管理系统的规划、研究、设计、制造、试验与使用的科学方法,是一种对所有系统都具有普遍意义的方法。我国学者林延江认为系统工程是用系统论的观点、控制论的基础、信息论的理论、经济管理科学的实质、现代数学的最优化方法、电子计算机和其他有关工程学科的技术融合渗透而形成的一门综合性的管理工程技术。

从以上观点可以看出,系统工程是在系统思想的指导下,用近代数学方法和计算机工具来研究一般系统的分析、规划、开发、设计、组织、管理、调整、控制、评价等问题,使系统整体最佳地实现预期目标的一门综合性的工程技术。也有人把系统的分析、综合、模拟、最优化等称为狭义的系统工程,即我们常说的系统工程;把为了合理地进行系统的研制、设计、运用等工作所采用的思想、程序、组织、方法等内容称为广义的系统工程。

系统工程作为一门工程技术,在现代科学技术体系中具有一定的地位。钱学森提出了一个清晰的现代科学技术的体系结构,他认为从应用实践到基础理论,现代科学技术可以分为4个层次，首先是工程技术这一层次，其次是直接为工程技术作为理论基础的技术科学这一层次，再次是基础科学这一层次，最后是通过进一步综合、提炼达到最高概括的马克思主义哲学。其中基础科学包括自然科学、数学和社会科学。在此基础上，他又进一步提出了一个清晰的系统科学的结构。系统科学是由系统工程这类工程技术、系统工程的理论基础（像运筹学、控制论、信息论这类技术科学），以及它们的基础科学——系统学所组成的一个新兴科学技术。

系统工程的理论基础包括系统论、信息论、控制论、运筹学等科学技术，其中运筹学是系统工程最重要的理论基础，它的主要分支有规划论（线性规划、整数规划、非线性规划、目标规划、动态规划等）、对策论、决策论、排队论、存贮论、图与网络技术、仿真技术等。

控制论也是系统工程的理论基础之一，它包括古典控制论、现代控制论和大系统理论。特别是现代控制论和大系统理论，近年来在系统工程中得到了越来越多的应用，已成为系统工程的主要理论基础。

应该特别指出的是，系统工程除了上述理论基础外，另一个重要的基础是计算机科学和计算机技术。可以这样说，没有这个基础，系统工程也就发挥不了多大的作用。这是因为对于一个复杂的系统，涉及的变量成千上万，要从许许多多的方案中选优，没有电子计算机是根本不可能实现的。

2. 系统工程的形成与发展

系统工程是以已有的科学和技术为基础，将各种科学和技术融合起来，而又重新体系化了的科学与方法。系统工程是在工业工程、质量管理、人机工程、价值工程以及计算机科学等学科的基础上发展起来的。系统工程的发展大致可以分为萌芽、发展和初步成熟3个时期。

（1）萌芽时期

在古代，人们就有了系统工程思想的萌芽。我国战国时期的都江堰水利工程就孕育着系统工程的一些思想。20世纪初，美国的泰勒从合理安排工序、分析工人的操作、提高劳动生产率入手，研究管理科学的规律，到20世纪20年代逐步发展为工业工程，主要研究生产在时间和空间上的管理技术。20世纪30年代，美国的贝尔电话公司提出了系统途径的观点，1940年采用系统工程这个词，在研究发展微波通信网时，应用一套系统工程的方法论，取得了良好的效果。

在第二次世界大战期间，由于军事上的需要，人们提出并发展了运筹学，以后在应用中运筹学逐渐发展成为系统工程的理论基础。战后这种理论被迅速推广到经济和管理领域。1945年美国建立了兰德公司，研究复杂系统的数学分析方法。以后，美国对国防系统、宇航系统以及交通、电力、通信等大规模的系统进行了研究开发，取得了很多成果。在20世纪40年代后期，美国出现了控制论、信息论，并制造了世界上第一台电子计算机。这些都为系统工程的发展奠定了基础。

（2）发展时期

1957年，美国的H. H. Goode和R. E. Machol合著出版了《系统工程》一书，从此，系统工程作为专门术语沿用至今。这时，许多运筹学的成果开始大量应用到民用系统中，成为经营管理的手段，同时运筹学本身也在不断发展。1958年美国在北极星导弹的研制中，首次采用了计划评估和审查技术（PERT），有效地推进了计划管理。现在PERT方法已为大多数先进企业采用,任何计划必须以 PERT 形式说明。PERT 方法以及由它派生的方法已成为系统工程的重要内容。20 世纪 60 年代开始,计算机在西方普遍使用,为系统工程的发展与应用提供了强有力的手段。同时,人们对复杂的大系统采用分解和协调的方法解决具有多级逆阶控制结构的问题。

(3)初步成熟时期

1965 年美国学者 R. E. Machol 编写了《系统工程手册》一书,内容包括系统工程的方法论、系统环境、系统部件、系统理论、系统技术以及一些数学基础。此书基本概括了系统工程各方面的内容,使系统工程形成了比较完整的体系。以后,许多学者著书立说,使系统工程这一学科趋于完善。始于 1961 年的美国阿波罗登月计划中广泛运用了系统工程,特别是 PERT、仿真技术等新型技术。在此期间,日本引入系统工程并应用于质量管理等方面,取得了显著效果。苏联则在发展控制论和自动化系统基础上发展了系统工程。

我国近代的系统工程研究可以追溯到 20 世纪 50 年代,1956 年,中国科学院在钱学森、许国志的倡导下,建立了第一个运筹学小组;20 世纪 60 年代,著名数学家华罗庚大力推广了统筹法优选法;与此同时,在著名科学家钱学森领导下,在导弹等现代化的总体设计组织方面,取得了丰富经验,国防尖端科研"总体设计部"取得显著效果。1977 年以来,系统工程的推广和应用出现了新局面,1980 年成立了中国系统工程学会,与国际系统界进行了广泛的学术交流。近年来,系统工程在各个领域都取得了许多成果。

系统工程在工业工程、质量管理、人机工程、价值工程以及计算机科学等学科的基础上,经历了漫长的发展过程。船舶作为一种可以执行各种军、民任务的复杂的水上建筑物,其本身和内部舱室都是非常复杂的人造、物理、可控系统,需要借鉴系统工程的基础理念对其进行分析、设计和建造,从而获得最佳的舱室环境和船舶产品。

第二节　人 机 工 程

船舶作为水上交通运输或海上战斗的工具载体,是人与机器/设备构成的复杂系统,是人机系统的典型。

一、人机系统

人机系统是指由人与机器构成的系统。这个系统可大可小,人与船舶、人与飞机、人与汽车、人与座椅、人与茶杯、人与舱室环境、人与室外环境等都可以构成人机系统。如果把人作为一方,另一方就是人之外的万物,人机系统就是指"人"和人所对应的"物"共处于同一时间及空间时所构成的系统。

在人机系统中,"人"定义为研究系统中参与系统过程中的人,而"机"则定义为与人处于同一系统中并与人交换着信息、物质和能量的物或空间环境。"机"可以是机器、设备,可以是物品,也可以是空间。也就是说,早期将影响人机系统的环境条件也归属于"机"的范围,如作业空间及场所,居住空间及场所,物理及化学环境等,但后续研究为了方便,往往将环境单独分列出来,成为人 - 机 - 环境系统。

二、人机工程

1. 人机工程的定义

人机工程(学)是20世纪40年代后期跨越不同学科和领域,应用多种学科的原理、方法和数据发展起来的一门新兴的边缘学科。由于它的学科内容的综合性、涉及范围的广泛性以及学科侧重点的不同,学科的命名具有多样化的特点。例如,在欧洲多称为工效学(ergonomics);在美国多称为人类因素学(human factors engineering)、人类工程学(human engineering);在日本称为人间工学;等等。在我国所用的名称有人机工程学、工效学、人机学、人体工程学等。与人机工程学科的命名一样,人机工程的定义也不统一,而且随着学科的发展,其定义也在不断发生变化。

著名的美国人机工程学专家W. E. 伍德森认为人机工程研究的是人与机器相互关系的合理方案,亦即对人的知觉显示、操纵控制、人机系统的设计及其布置和作业系统的组合等进行有效的研究。其目的在于获得最高的效率和作业时安全、舒适的感觉。

国际人机工程学会(IEA)的定义为:人机工程学是研究人在某种工作环境中的解剖学、生理学和心理学等方面的因素,研究人和机器及环境的相互作用,研究在工作、生活和休假时怎样统一考虑工作效率、健康安全和舒适性等问题的学科。人机工程学要求的“安全、舒适、高效”是重要的,但也要受其他条件的约束、其他目标的制衡,它不是唯一的,也未必总是优先的。实际设计中,应该是在限定条件下提高安全、舒适、高效的程度,如火车三层硬卧改为二层软卧后虽舒适但成本却大大提高了。

我国1979年出版的《辞海》中对人机工程学所下的定义为:人机工程学是一门新兴的边缘学科。它是运用人体测量学、生理学、心理学和生物力学以及工程学等学科的研究方法和手段,综合地进行人体结构、功能、心理以及力学等问题研究的学科。用以设计使操作者能发挥最大效能的机械、仪器和控制装置,并研究控制台各个仪表的最适当位置。目前国内学者通常认为,人机工程学是研究人－机－环境系统中人、机、环境3大要素之间的关系,为解决该系统中人的效能、健康问题提供理论与方法的科学。

从上述概念和定义看出,尽管名称表述及内涵不尽相同,但人机工程所研究的对象、方法、理论体系的方向却是一致的,基本涵盖了人机系统、人机界面、人机合理分工等几个方面。

人机工程学是一门综合性的边缘科学,它属于系统工程学的一个分支。系统论、控制论、信息论是它的基本指导思想,其基础理论涉及许多学科。除与有关的技术工程学科有着密切的关系外,人机工程学还与人体解剖学、人体测量学、劳动卫生学、生理学、心理学、安全工程学、行为科学、环境科学、技术美学等有着密切的联系。人机工程学带有横向学科的性质,其应用范围十分广泛,从日常用品到工程建筑(船舶、飞机、汽车等),从大型机具到高技术制品,从家庭活动到巨大的工业系统,各个方面都在运用人机工程学的原理和方法解决人机之间的关系问题。

2. 人机工程的起源与发展

从广义上说,自有人类以来,就开始存在着一种人机关系。当然,最早是一种最原始,也是最简单的“人机关系”，即人与工具和用器之间的关系，这是一种相互依存和制约的关系。“工欲善其事，必先利其器”，此道理早就被我们的祖先所认识。工业革命以后，科学技术日新月异地向前发展，改革工具的要求日益迫切。一方面是机器的不断涌现，另一方面则开始研究人如何适应机器的要求，创造出更高的劳动生产率。为此有些学者开始了相关研究，他们的研究方法和理论为后来的人机工程学的发展奠定了基础。

英国是世界上开展人机工程学研究最早的国家之一，但本学科的奠基性工作实际上是在美国完成的。所以，人机工程学有“起源于欧洲，形成于美国”之说。虽然本学科的起源可以追溯到20世纪初，但是作为一门独立的学科只有50多年的历史。在本学科的形成与发展过程中，人机工程学大致可分为以下3个阶段。

(1)经验期

自从有人类社会以来，人类的生活就离不开器具，因此从一开始有了人类，也就有了人和器具的最原始的人机关系。在古代虽然没有系统的人机学研究方法，但人类所创造的各种器具，从形状的发展变化来看，是符合人机工程学原理的。旧石器时代所创造的石刀、石斧等狩猎工具，大部分是直线形状；到了新石器时代，人类所创造的锄头、铲刀以及石磨等工具的形状逐步变得更适合人使用了；青铜器时代以后，人类新创造的工具更是大大向前发展了。在古埃及的石碑雕刻里就有一些器皿的造型，从它们的造型可以很清楚地看出古埃及人在日常生活、工作中已经开始考虑人机关系了。这些工具由于人的使用和改进，由简单到复杂，逐步科学化。在我国的古典家具中，如太师椅、茶几等可以很明显地看到人机理念的影子。又如我国指南车，它的传动机构运用了力学知识和反馈原理，与现代人机工程学的原理相吻合。这种实际存在的人机关系及其发展，我们把它称为经验人机工程学。

在经历工业革命之后，人们所从事的劳动在复杂程度上和负荷量上都有了很大变化。改革工具、改善劳动条件和提高劳动效率成为一个迫切问题，因此人们开始对经验人机工程学所提出的问题进行研究。

1884年，德国学者莫索对人体劳动疲劳进行了试验研究。对作业的人体通以微电流，随着人体疲劳程度的变化，电流也随之变化，这样就可以用不同的电信号来反映人的疲劳程度。这一试验研究为以后的“劳动科学”打下了基础。

1898年，美国学者泰勒从人机学角度出发，对铁锹的使用效率进行了研究。他用形状相同而铲量分别为5 kg、10 kg、17 kg和30 kg的4种铁锹去铲同一堆煤，虽然17 kg和30 kg的铁锹每次铲量大，但试验结果表明，铲煤量为10 kg的铁锹作业效率最高。他做了许多试验，终于找出了铁锹的最佳设计和搬运煤屑、铁屑、沙子和铁矿石等松散粒状材料时每一铲的最适当质量。这就是人机工程学过程中著名的“铁锹作业试验”。

1911年，吉尔伯勒斯对美国建筑工人砌砖作业进行了试验研究。他用快速摄影机把工人的砌砖动作拍摄下来，然后对动作进行分析，去掉多余无效动作，最终提高了工作效率，使工人砌砖速度由当时的每小时120块提高到每小时350块。

泰勒和吉尔伯勒斯的这些重要试验的影响很大，而且成了后来被称为人机工程学的重要分支，即所谓“时间与动作的研究”的主要内容。特别是泰勒的研究成果，在20世纪初成了美国和欧洲一些国家为了提高劳动生产率而推行的“泰勒制”。

这一时期一直持续到第二次世界大战之前，主要研究内容是研究每一职业的要求，利用测试来选择工人和安排工作；挖掘利用人力的最好办法；制订培训方案，使人力得到最有效的发挥；研究最优良的工作条件；研究最好的组织管理形式；研究工作动机，促进工人和管理者之间的通力合作。

因参加研究的人员大都是心理学家，研究偏向心理学方向，因而许多人把这一阶段的本学科称为“应用实验心理学”。学科发展的主要特点是机械设计的主要着眼点在于力学、电学、热力学等工程技术方面的优选上，在人机关系上是以选择和培训操作为主，使人适应于机器。

（2）创建期

第二次世界大战期间是该学科发展的第二阶段。在这个阶段中，由于战争的需要，许多国家大力发展效能高、威力大的新式武器和装备。但由于片面注重新式武器和装备的功能研究，而忽视了其中“人的因素”，因而由于操作失误而导致失败的教训屡见不鲜。例如，由于战斗机中座舱及仪表位置设计不当，造成飞行员误读仪表和误用操纵器而导致意外事故，或由于操作复杂、不灵活和不符合人的生理尺寸而造成战斗命中率低等现象经常发生。这些失败的教训引起了决策者和设计者的高度重视。通过分析研究，他们逐步认识到在人和武器的关系中，主要的限制因素不是武器而是人，并深深感到“人的因素”在设计中是不能忽视的一个重要条件，同时还认识到，要设计好一个高效能的装备，只有工程技术知识是不够的，还必须有生理学、心理学、人体测量学、生物力学等学科方面的知识。因此，在第二次世界大战期间，他们在军事领域中开展了与设计相关的学科的综合研究与应用。例如，为了使所设计的武器能够符合战士的生理特点，武器设计工程师不得不把解剖学家、生理学家和心理学家请去为设计操纵合理的武器而出谋献策，结果达到了良好的效果。军事领域中对“人的因素”的研究和应用，使人机工程学应运而生。

这一时期一直延续到 20 世纪 50 年代末，在其发展的后一阶段，由于战争的结束，本学科的综合研究与应用逐渐从军事领域向非军事领域发展，并逐步应用军事领域中的研究成果来解决工业与工程设计中的问题，如船舶、飞机、汽车、机械设备、建筑设施以及生活用品等。人们还提出在设计工业机械设备时也应集中运用工程技术人员、医学家、心理学家等相关学科专家的共同智慧。因此，在这一发展阶段中，该学科的研究课题已超出了心理学的研究范畴，使许多生理学家、工程技术专家涉身到该学科中来共同研究，从而使本学科的名称也有所变化，大多称为“工程心理学”。该学科在这一阶段的发展特点是重视工业与工程设计中“人的因素”，力求使机器适应于人。

（3）成熟期

到了 20 世纪 60 年代，欧美各国进入了大规模的经济发展时期，在这一时期，由于科学技术的进步，使人机工程学获得了更多的发展机会。例如，在宇航技术的研究中，提出了人在失重情况下如何操作、在超重情况下人的感觉如何等新问题。又如，原子能的利用、电子计算机的应用以及各种自动装置的广泛使用，使人机关系更趋复杂。同时，在科学领域中，由于控制论、信息论、系统论和人体科学等学科中新理论的建立，在该学科中应用“新三论”来进行人机系统的研究便应运而生。所有这一切，不仅给人机工程学提供了新的理论和新的实验场所，同时也给该学科的研究提出了新的要求和新的课题，从而促使人机工程学进入了系统的研究阶段，使学科走向成熟。

随着人机工程学所涉及的研究和应用领域的不断扩大，从事本学科研究的专家所涉及的专业和学科也就愈来愈多，主要有解剖学、生理学、心理学、工业卫生学、工业与工程设计、建筑与照明工程、管理工程等。

由于人机工程学的迅速发展及其在各个领域中的作用越来越显著，从而引起各学科专家及学者的关注。1961 年正式成立了国际人类工效学学会(IEA),该学术组织为推动各国人机工程学的发展起了重要的作用。IEA 自成立至今,已分别在瑞典、德国、英国等国家召开了十余次国际学术会议。

人机工程学在国内起步虽晚,但是发展迅速。中华人民共和国成立前仅有少数人从事工程心理学的研究,到 20 世纪 60 年代初,也只有中国科学院(简称中科院)、中国人民解放军军事科学院(简称中国军事科学院)等少数单位从事本学科中个别问题的研究,而且其研究范围仅局限于国防和军事领域。但是这些研究却为我国人机工程学的发展奠定了基础,20 世纪 70 年代末人机工程学进入较快的发展时期。

目前,本学科在我国的研究与应用已扩展到工农业、交通运输、医疗卫生以及教育系统等国民经济各个部门,由此也促进了本学科与工程技术和相关学科的交叉渗透,使人机工程学成为国内科坛上一门引人注目的边缘学科。在此情况下,我国已于 1989 年正式成立了与 IEA 相适应的国家一级学术组织——中国人类工效学学会(CES),并开展了大量研究工作,进一步推动了人机工程学在我国的发展。

就船舶行业而言,不同类型的船舶及其内部舱室设计制造的整个过程,都离不开人机工程学的原理和方法。通过人机工程学,船舶设计人员可以获得合理的理论参数和要求,并将其应用到船体和内部舱室的设计过程中,从而实现船舶系统、舱室子系统的“安全、经济和高效”。

第三节　人 - 机 - 环境系统工程

现代船舶既是一部巨型机器,又是一个水上工厂,也是一座水上城市,具有作为交通运输、捕捞、海上作战等机器的特点。在海洋、江河、港湾等宏观大环境里,船舶自身内部又构成许多中观、微观小环境,船为人所操纵,人又以船为工作、生活空间。因此,船舶是一个典型的人 - 机 - 环境系统。

所谓人 - 机 - 环境系统是由相互作用、相互依赖的人、机、环境 3 大要素组成的具有特定功能的复杂集合体。系统中的“人”是指作为工作主体的人(如操作人员或决策人员);“机”是指人所控制的一切对象(如船舶、汽车、飞机、生产过程等)的总称;系统中的“环境”是指人、机共处的特定工作条件(如温度、噪声、振动、有害气体等)。

根据系统功能的不同,人 - 机 - 环境系统一般可以分为 3 种类型:简单人 - 机 - 环境系统、复杂人 - 机 - 环境系统和广义(大规模)人 - 机 - 环境系统。

值得强调的是,在对所研究的人 - 机 - 环境系统进行界定和规范时,一定要注意系统的相对性。例如,当我们在对一个工厂(或企业)的某个生产系统进行研究时,操作人员(“人”)、工作机器(“机”)和工作环境(“环境”)便构成了一个简单人 - 机 - 环境系统;但是,当我们在对整个工厂(或企业)的生产情况进行研究时,生产决策人员(“人”)、全部生产设备(“机”)和所有生产环境(包括工厂内部和外部影响生产的各种因素,即“环境”)就构成了一个广义人 - 机 - 环境系统。而在这个广义人 - 机 - 环境系统中,由单个生产系统所构成的简单人 - 机 - 环境系统便被包含在这个广义人 - 机 - 环境系统之中,而且这个简单人 - 机 - 环境系统将被认为是“机”的组成部分之一。因此,在人 - 机 - 环境系统工程的应用过程中,考虑系统的相对性就显得非常重要。

一、人 – 机 – 环境系统工程

1. 人 – 机 – 环境系统工程的定义

人 – 机 – 环境系统工程(学)是运用系统科学理论和系统工程方法,正确处理人、机、环境 3 大要素的关系,深入研究人 – 机 – 环境系统最优组合的一门科学。其最大的特点是把人、机、环境看作一个系统的 3 个有机的组成部分,三者间的信息传递、加工和控制形成一个相互关联的复杂巨系统,并运用系统工程方法寻找出最佳工作状态,使系统具有“安全、高效、经济”等综合效能。

人 – 机 – 环境系统工程的研究对象为人 – 机 – 环境系统,系统最优组合的基本目标是“安全、高效、经济”。“安全”是指不出现对人体产生生理危害或伤害的事情,并避免各种事故的发生;“高效”是指全系统具有最好的工作性能或最高的工作效率;“经济”指人 – 机 – 环境系统工程理论的形成和发展是在满足系统技术要求的前提下,系统的建立要投资最省,也即保证系统的经济性。

人 – 机 – 环境系统工程的研究内容主要包括 7 个方面(图 2 – 3):人的特性的研究、机的特性的研究、环境的特性的研究、人 – 机关系的研究、人 – 环境关系的研究、机 – 环境关系的研究、人 – 机 – 环境系统总体性能的研究。

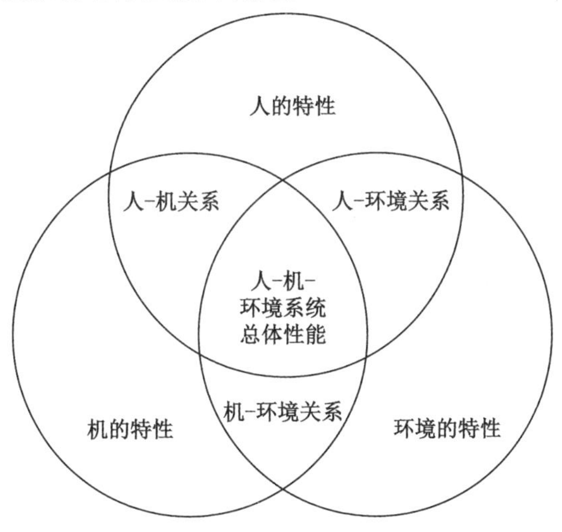

图 2 – 3　人 – 机 – 环境系统工程研究范畴示意图

人 – 机 – 环境系统工程的基本核心可以概括为 4 句话、24 个字,即基于 3 个理论(控制论、模型论、优化论),分析 3 个要素(人、机、环境),历经 3 个步骤(方案决策、研制生产、实际使用),实现 3 个目标(安全、高效、经济)。

2. 人 – 机 – 环境系统工程的建立和发展

严格地讲,我国人 – 机 – 环境系统工程作为一种理论、一门科学的出现是在 20 世纪 80 年代初。1981 年,航天医学工程研究所的陈信教授和龙升照教授根据载人航天预先研究的实践,同时也对国内外情况进行了认真分析,在著名科学家钱学森的系统科学思想的启发和亲自指导下，撰写了《人－机－环境系统工程学概论》一文，概括提出了人－机－环境系统工程的科学概念，并论述了这一科学领域的研究范畴，标志着这门新兴科学的形成。

但是，人－机－环境系统工程的古老根源可以追溯到人类的早期活动。所以，人－机－环境系统工程的形成和发展是经过漫长的历史阶段的。可以认为，20世纪40年代之前，是人－机－环境系统工程的萌芽期；20世纪40年代至20世纪70年代，则是人－机－环境系统工程的准备期。

从远古时代起，人类一代一代地不断改善劳动工具，直至大规模使用机器，以提高人类战胜自然、改造世界的能力。当人类最初使用简单工具进行大量和笨重的体力劳动时，客观上就提出了人－机－环境系统的最优化组合问题。18世纪至19世纪的第一次工业革命及其随后的能源革命，使人类进了机器时代，人们所从事的劳动在复杂程度和负荷量上都有了很大变化，开始形成人、机、环境的复杂关系。19世纪初，美国学者泰勒曾经开展过一项著名的“铁锹作业试验”，找出了铁锹的最佳设计和搬运煤屑、铁屑、沙子和铁矿石等松散粒状材料时每一铲的最适当质量，从而大大地提高了劳动生产率。1911年，泰勒出版了《科学管理原理》一书，提出要研究人的操作方法，并从管理的角度制定了相应的操作制度，人们把它称为“泰勒制”。应该强调指出的是，泰勒的“铁锹作业试验”也正是人－机－环境系统工程理论早期萌芽思想的体现。因为人－机－环境系统工程理论特别强调机器（包括工具）的设计要符合人的特点，只有这样，才能极大地提高劳动生产率，而他的试验也正好说明了这一点。

此后，人们开始有组织地对人、机、环境三者之间的关系进行试验研究，并积累了大量的有关数据。20世纪40年代，特别是第二次世界大战期间，各种新式武器不断出现，性能也日趋复杂；20世纪50年代，电子计算机的应用迅速发展；20世纪60年代，载人航天活动取得了突破性的进展。这一切，使人、机、环境的相互矛盾日益尖锐，也使人、机、环境相互关系问题的研究显得更为突出。因此，国外先后产生了一些研究人和机器相互关系的学科。这些学科对于推动科学技术的发展起到了非常重要的作用。但是，由于它们的研究重点是让人如何适应机器、适应环境，而对于机器的设计如何适应人的特点和需要，以及如何改造和控制环境等问题虽然有所认识，但是缺乏用系统的整体思路来全面解决人、机、环境的相互关系问题。虽然有了关于人、机、环境的各种数据，但如何运用这些数据，仍然是凭经验进行，因而难以达到最佳效果。1980年末，美国科学院应陆、海、空三军的要求，组成一个专门委员会，着重分析和研究该领域的研究现状，并于1983年1月提出了题为《人的因素研究需求》的专门报告。该报告承认，20世纪70年代由于单纯依靠过去20年的数据而放松了基础研究，因而导致若干设计和研制的重大失误。于是，他们对科研部署做了些调整，但仍未摆脱传统框框的束缚。直至1996年，美国国防部在它的“国防技术计划”中还无可奈何地指出，“几年来，已采集了大量的有关人体机能的数据，但是，这些数据既不能为设计集成界所利用，也很难找到并加以解释。结果‘系统集成’总是要在设计过程后期完成，且其鉴定要依赖于昂贵的实物样机。”

由此可见，虽然前人想从系统的高度来考虑问题，但又苦于没有办法。因此，当时对于如何来阐述和处理这个十分复杂的人－机－环境系统工程领域也是十分茫然的。需要说明的是，人－机－环境系统工程是一个由来已久且不断发展的、复杂的研究领域，前人在研究的过程中也存在困惑和茫然，学科定义的界定较为模糊，因此在其萌芽和准备的过程中与早期人机工程有着许多的重合和同步。当然，人机工程与人－机－环境系统工程，并不存在概念冲突。只是早期的人机工程研究侧重人、机之间的关系，其中“机”的部分也涉及环境要素，随着时代的发展，环境的作用日益凸显，故把环境列为重要的考虑因素，并逐步重视环境与人、机之间的关系。

二、船舶人－机－环境系统工程

在古代，船舶是单层甲板的木船，航海主要靠人力划桨，而且船很小，没有航海仪器和海图，不能远洋航行。20 世纪初期开始，高性能船艇、大型客/货船、军舰、潜艇、航空母舰相继出现，不但使船舶的功能与武器装备高度复杂化，而且环境因素也日趋复杂。船舶及其内部舱室是人员、材料、设备高度集中的场所。在这样的环境中生活、工作的人，不可避免地受到各种异常环境因素的影响，既有物理与化学因素，也有生物与信息以及心理、社会因素的作用。因此，如何在现有环境下，使船上人员既能提高工作效率，又能使各种不利因素无损于人的健康，确保安全、舒适，从而获得船舶各种工作目标的最佳实现，这是船舶人－机－环境系统工程所肩负的重要任务。

现代船舶作为一个复杂的人－机－环境系统，长期以来，船舶设计师的主要精力是放在新技术、新装备的应用上，解决了大量的工程技术问题，而对人－机－环境系统工程的整体应用还是一个比较新的课题。所谓船舶人－机－环境系统工程，也可以理解为人－船－环境系统工程。顾名思义，其研究对象是人、船、环境系统。系统中的“人”是指工作、生活或者活动在船上的各种人员，系统中的“船”是指船上的机器、设备、计算机以及舱室家具等，可以概括为人控制或使用的对象的总称；系统中的“环境”是指人、船（机）共处的特定条件，也可以理解为船舶自身及其内部的舱室空间。人－船－环境系统工程把人、船、环境看作一个系统中的 3 大要素，通过三者之间信息传递、处理、控制和反馈，形成一个相互关联的系统（图 2－4）。

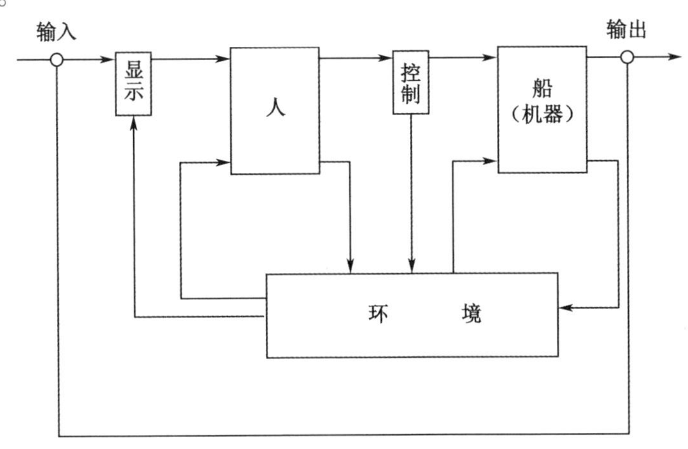

图 2－4　船舶人－船－环境系统

人－船－环境系统工程，既要注意人、船、环境各要素本身的性能，又要重视这 3 大要素之间的相互关系、相互作用、相互影响及其协调方式。要从系统工程、人机工程的角度出发，运用系统工程的原理和方法，寻求人、机、环境相互间的最优组合，以充分发挥人的效率，提高“船”的效能，保证船上人员的安全、健康和舒适，使船舶系统具有安全、高效和经济的综合效能。因此,人-船-环境系统工程要关注的主要问题有人的因素、人-船(机)关系、人-环境关系以及船(机)-环境关系等。其中,人的因素,是使船上人员在人-船-环境系统中发挥其能力,保护其功能,创造满足人员生理和心理需求的最佳条件,提高人的工作效率或给人以舒适与美的享受;人-船(机)关系,要使人充分了解"船(机)"的性质与工作状态,将人的意图、需求、方式传递给"船",又使船上设施和设备适应人的操作、工作和生活,实施有效的人-船匹配和人船交往;人-环境关系,环境对船上人员有直接影响,这种影响有一定的耐受限值,如果超过耐受限值就会对船员产生危害,研究各种环境因素和容许限值及防治措施十分重要,需创造良好的工作与生活环境(如居住舱室、卫生、膳食、文化休闲、医疗设施以及舱室温湿度、空气品质、噪声、振动、摇荡、照明、色彩、放射性等);船(机)-环境关系,是用工程技术的方法去控制和改造环境,以保障整个系统处于最佳状态,涉及船舶环境控制和环境防护等方面。

值得强调的是,人-船-环境系统工程学作为一门边缘技术学科,其整体化特征打破了各个学科、专业和部门的界线,需要从一系列基础学科和工程技术中吸取营养。需要从人-船-环境系统工程学的整体观点出发,处理好人、船、环境三者之间的关系,探求三者合理、共通和兼容的优化组合。当前诸多学者研究的系统工程、人体工程学、人的因素、工效学、环境医学、工程心理学与劳动卫生学等理论方法,均可作为船舶人-机-环境系统工程的基础支撑。

人-船-环境系统工程学研究的内容十分广泛,其要解决的根本问题是正确、合理地处理船上人员、船及其上设备与船内/外环境三者之间的关系,以得到船舶最高的综合效能。其中,涉及的问题是把船员作为整个系统的核心,使其拥有舒适的生活环境、轻松的工作环境以及绝对的安全性。由此,以船上人员作为基本出发点,按人在船上不同的活动,将人-船-环境系统分为工作环境、生活环境、人体特征及响应等部分,其基本上涵盖了船舶人-机-环系统工程的主要工作内容。

(1)工作环境

船舶影响人体的环境条件,包括船舶作为整体的环境、舱室环境以及与人发生联系的某一"机"的局部环境。这些环境限值都不能超越人体生理和心理所能承受的合理限界。环境条件对人体的影响见表2-1。其中,最佳值与心理限值之间为舒适区,心理限值与生理限值之间为不适区。

表2-1 环境条件对人体的影响

条件项目	功能区间		
	最佳值	心理限值	生理限值
噪声/dB	65	75	120
振动/Hz	0	25	60
加速度/($m \cdot s^{-2}$)	9.8	19.6	39.2
照度/lx	500	200	20
辐射热/($kJ \cdot h^{-1}$)	19.3		895.4
热度/℃		27	42
冷度/℃		16	-10

表 2-1(续)

条件项目	功能区间		
	最佳值	心理限值	生理限值
相对湿度/%	50	30	15
换气量/($L \cdot h^{-1}$)	20	13	5
氧气浓度/%	21	17	8
一氧化碳浓度/%	0	0.01	0.03
二氧化碳浓度/%	0	0.7	1

(2)生活环境

船的生活环境,或者说船上的居住、休息环境,可以理解为船舶的居住性,是定义船上人员的生活环境和日常服务设施的船舶特性,也是衡量船舶性能优劣的一项重要指标。生活环境包括舱室位置、大小与相互关系,以及单独舱室的布置、交通控制、家具设计、空调、照明、色彩、甲板覆层和许可的噪声级。日常服务设施包括居住、膳务、卫生及各种娱乐设施。

(3)人体特征及响应

人与设备的结合应做到能完成任务或满足使用需求,并达到操作、训练及维护能力的简化、高效、可靠和安全。实际上,个体的活动总是同人、物、时间、空间、环境有关,人体活动的姿态离不开坐、卧、站、弯腰、跪、行、操作等基本形式。人体特征就是要研究人体自身及其活动过程,研究如何才能做到效率最高,时间最少,费用最低,误差最小,保健最好,确保安全。人体测量学在船上的运用是很必要的。在考虑船舶设计时要将人体数据运用于全船总体;在考虑船舶上配备的设备时,要把人体数据运用于各个设备,并考虑它在船上的适应性、兼容性、操作性和维护性。还应该注意到有关作业的性质、频率和难度,作业时的身体位置和姿势,作业行进时的可活动性和工作空间大小量,因障碍物、凸出物等需要补偿的临界设计大小增量以及防护服、防护装备、罩壳、管线、电缆、衬垫等附加的尺寸增量。此外,由于人是多维的复杂形体,活动变化很大,因而“机”的设计应考虑将人的形态分解成上下、左右、前后 3 个方向的适应性。对于人体的站、坐、卧、跪、弯腰等活动姿势的数据要细分,应掌握各种姿势下的不同参数。

任何人-机-环境系统都是以信息对人或传感器的输入作为操纵、控制的依据,这种信息不论是来自自然还是人工(机器),都将经由人或传感器的视觉、听觉、嗅觉、触觉等所感知,通过大脑对信息的识别、分析、判断等思维活动,或者通过电脑对信息的传递、处理、控制等人工智能活动,做出进行操纵、处理等智力或体力劳动的响应。响应结果产生反馈信息,重新输入,再进行控制过程而输出。对于任何复杂的机器,机和人联结的界面可以归结成信息传感显示器和操纵器两类,或者称为显示器和操纵器的组合。人的感知特性和能力及操作时人的肌肉特性和能力,在环境因素和时间因素的影响下,具有自然的限度。要想使系统总效率提高,必须按照人对信息响应的输入和输出的全过程,对显示器和控制器加以生理学与心理学的研究。

船舶作为一个典型的、庞大的、复杂的人-机-环境系统,其人-机-环境系统工程旨在基于系统工程的核心理念,强化船舶特征,以船上人员为中心,将人-机-环境系统工程充分应用到船舶设计建造的各个领域,即从船舶总体设计的角度出发,运用系统工程、人机工程的原理和方法,结合大型船舶的功能和结构特点,研究船上人员、船上设备、船舶舱室内/外环境这些相互作用、相互依赖的子系统之间的相互关系,寻求子系统之间的最佳组合,进而获得船舶整体的最优效率,提高运营、工作效率和作战能力等。

第三章　船舶舱室环境要素分析

船舶是一个复杂的巨系统，人－机－环境各类要素在其中发挥着不同程度的作用。其中，人是工作、生活的主体，在设计任何人－机－环境系统时，都应对人的特性进行充分考虑，只有这样才能确保机的设计和环境的设计符合人的需要，以使人－机－环境系统真正体现“以人为本”的宗旨。机是人们工作、生活的有效支撑和载体，其设计要符合人的要求。环境是人与机器共处场所的工作、生活条件，是人－机－环境系统的三要素之一。环境是指在系统中一切影响人的生活质量、身体健康、生命安全和工作效率，以及影响机器性能、运行状况和安全可靠性的所有自然的、人工的或其他因素的集合。在人－机－环境系统中，环境与人、环境与机器之间存在着密切的联系，有着物质、能量和信息的交换，并互相作用、互相影响，三者有机地结合为一个整体，相辅相成，密切而不可分割。船舶舱室是人－船－环境系统工程的主要工作、生活载体，本章将从人、机、环境3个方面对船舶舱室的环境要素进行阐述。

第一节　人的要素分析

生命机体在自然界中是最复杂的物质，是物质世界中最高级的运动形式。人体是生物界最高级的生命有机体，人有最高级、最完善的功能。人在人－船－环境系统工程中的地位是无可比拟的，是一个极为重要的因素。人在系统中是主体，任何先进的机器都离不开人去操纵，相关舱室的设计构造也应为人提供多方位的服务，所以系统工作效率的优劣、安全很大程度决定于人的状况。

分析人的要素涉及的范围较广，要综合考虑系统工程、人机工程、生理学、心理学、医学、卫生学、人体测量学、社会学等学科的知识和成果，其目的主要是通过恰当的设计来改进人－机－环境这三者之间的相互关系。船舶舱室环境工程的核心理念之一就在于强化人的特性和效能，从以人为本的角度出发，进行舱室环境设计，在保证各项功能的基础上，融入美的因素，综合功能美、结构美、材料美和形式美来为船上人员提供支撑服务，从而使系统获得最大的安全性、可靠性、舒适性及高效性。

人－船－环境系统工程对人的要素的分析主要体现在人的物理特性、生理特性以及心理特性等方面。

一、物理特性

人、机和环境都是物质的，都是物质世界的一部分。人的物质属性决定了人与其他物体一样具有自身的物理特性。人的物理特性主要包括几何特性、力学特性、热学特性、电学特性、声学特性和其他物理特性。这些物理特性对船舶舱室环境乃至整个船舶都有着一定的作用和影响。因此,它是船舶舱室人-机-环境系统工程中必须予以考虑和重视的问题。

人体与一切物体一样具有一定的几何形态,并占据一定的空间。在几何上,人体可以看成由许多个形状和大小各异的几何单元组成的复合体,各单元间有着固定或不固定的连接方式。当各单元之间有着相对固定的连接时,人体呈现静态的几何特性;当各单元之间的连接处于变化时,人体呈现的是动态的几何特性。在人-机-环境系统工程的设计和研究中,既要考虑人体的静态几何特性,更要考虑人体的动态几何特性。

1. 人体的静态几何特性

(1)人体测量基准

为使人体测量数据具有可比性和通用性,人体测量学规定了人体的测量基准,即体轴、基准面与基准点。

①人体体轴

人体的立体形态决定了必须用3个相互垂直的几何轴来描绘。这3个体轴就是垂轴、纵轴和横轴。3个体轴构成人体坐标系,分别为 Z 轴、Y 轴和 X 轴。垂轴是自头顶至足底的垂直于水平线的轴线,它垂直于纵轴和横轴。纵轴又称矢状轴,是自背侧面至腹侧面并与垂轴和横轴相垂直的轴线。横轴又称冠状轴,是左右两侧等高点之间的轴线,与垂轴和纵轴相垂直(图3-1)。

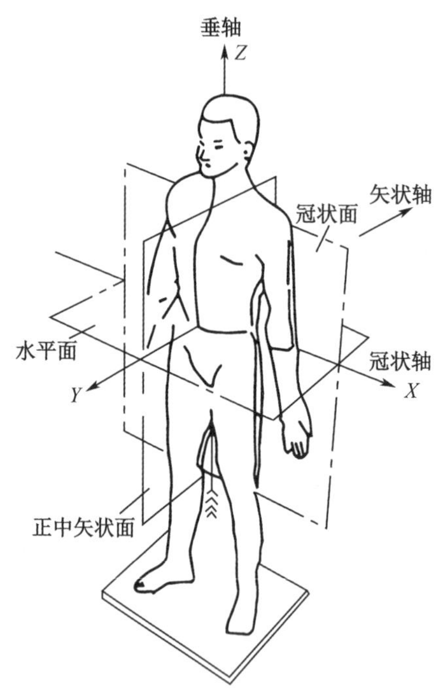

图3-1 人体坐标系

②人体测量基准面

人体测量的主要基准面有矢状面、冠状面和水平面,它们分别与相应的体轴垂直。矢状面是与 X 轴垂直的所有平面,其中正中矢状面是通过人体正中线的矢状面,将人体正中矢状面在几何上分为左右对称的两部分。冠状面是与 Y 轴垂直的所有平面，这些平面将人体分为前后不对称的两部分。水平面是与 Z 轴垂直的所有平面，这些平面将人体分为上下不对称的两部分，其中眼耳平面是通过左右耳屏点及右眼眶下点的水平面，是一个十分重要的人体测量基准面。

③人体测量基准点

人体测量基准点是人体几何参数测量的参照基准点，分布于人体的各个特征部位，数量较多。我国国家标准《人体测量术语》(GB 3975—83)对国人的人体测量的各主要基准点(测点)做了严格的定义，并进行了命名和编号。其中，头部的测点有16个，躯干部的测点有10个，四肢部的测点有12个，共计测点38个。除了上述主要测点，该标准还规定了推荐使用的23个测点。使用者可根据人体测量的不同目的与要求，以上述测点为测量基准测得人体测量的各种基本数据。

(2)人体基本姿势

人体测量数据总是在一定的体姿(姿势)下获得的，往往因人体姿势的不同而完全不同。在绝大多数人－机－环境系统中，操作者都采取立姿或坐姿，只在少数特殊的情况下采用跪姿、仰卧姿、半卧姿或蹲姿。由于姿势的不同，身体各部分的相对位置和受力状态发生了变化，相应一些人体测量数据也发生了改变。

人体测量学标准规定了立姿和坐姿两种基本姿势，人体测量基本数据正是在这两种基本姿势下获得的。

①立姿

人体取立姿时，挺胸直立，头部以眼耳平面定位，眼睛平视前方，肩部放松，上肢自然下垂，手伸直，手掌朝向体侧，手指轻贴大腿侧面，膝部自然伸直，左、右足后跟并拢，前端分开，使两足大致呈45°夹角，体重均匀分布于两足。

②坐姿

人体取坐姿时，挺胸坐在腓骨头高度的平面上，头部以眼耳平面定位，眼睛平视前方，左右腿大致平行，膝大致弯曲成直角，足平放在地面上，手轻放在大腿上。

在实际的人－船－环境系统中，人体不可能严格地采用基本姿势，如胸部稍有前俯或后仰，但只要大致符合，采用相应的测量数据应当是可行的。

2. 人体的动态几何特性

(1)人体体节与关节

人体并不是一块刚体，在很多场合是可视为由多个节段组成的复合刚体。而它的非刚性特征在这种条件下往往被忽视。

①体节

体节是从动力学角度将人体划分为若干个节段，每个节段可看作理想的刚体。依此建立人体动力学模型，每个节段便是一个模块。最常用的模型有14个模块(图3－2)。在这个模型中，人体被分解成头部、躯干部、左上臂、右上臂、左前臂、右前臂、左手、右手、左大腿、右大腿、左小腿、右小腿、左足和右足等14个节段。在一些简单的动力学问题中，模型需要简化，一些肢体的节段需要合并，成为较大的体节。如左上臂、左前臂和左手合并为左上肢，右上臂、右前臂和右手合并为右上肢。

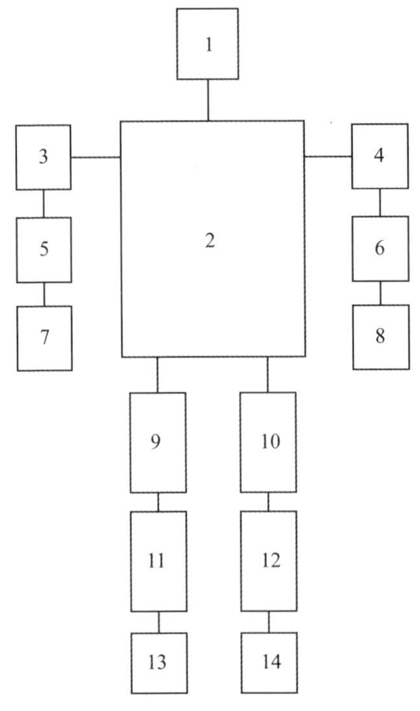

1—头部；2—躯干部；3—右上臂；4—左上臂；5—右前臂；6—左前臂；7—右手；
8—左手；9—右大腿；10—左大腿；11—右小腿；12—左小腿；13—右足；14—左足。

图3－2　体节人体模型

②关节

将两个体节连接起来并保持两者间有相对运动的生理机构是关节。在这里“关节”的含义与解剖学上的“关节”的含义有些不同。在解剖学上人体全身共有200多个关节，而本章中所涉及的只是一些对人体运动最主要的少数大关节或关节组合。对于上述划分14个节段的模型，只有13个关节。这些关节中，连接头部与躯干的是颈关节；连接上肢、下肢与躯干的分别是肩关节和髋关节；连接上臂与前臂的是肘关节；连接大腿与小腿的是膝关节；连接手与前臂的是腕关节；连接小腿与足的是踝关节。除了颈关节，其余关节都是左右对称的。如果更仔细考虑的话，在躯干内还有腰关节，在手部有若干个掌关节和指关节，在足部则是跖关节和趾关节。

（2）体节活动范围

①头的活动范围

头关节可允许头部以Z轴为转动轴做左右转动，左右最大转动角度约为85°；以Y轴为转动轴做俯仰动作，最大活动范围是俯为75°，仰为35°；以X轴为转动轴做左右倾斜动作，左右最大转动角度约为35°。

②上肢的主要活动范围

肩关节可允许平举的手臂以Z轴为转动轴向内外侧转动，向内侧最大转动角度约为200°，向外侧最大转动角度约为40°；允许伸直的手臂以Y轴为转动轴做前后转动，最大活动范围是向前向上最大转动角度约为190°，向后最大转动角度为70°；允许伸直的手臂以X轴为转动轴可做不受限制的圆周运动。肘关节则可允许前臂相对大臂向内侧做最大可达

145°的弯曲。

③下肢的主要活动范围

髋关节可允许伸直的腿以 X 轴为转动轴向内外侧转动，最大转动角度均约为45°；允许以 Y 轴为转动轴做前后转动，最大活动范围是向前向上最大转动角度约为120°，向后最大转动角度为60°。膝关节则可允许小腿相对大腿向后侧做最大可达140°的弯曲。

④躯干的活动范围

人体的躯干部分也不是一块刚体，某种意义上也被看作一个复合刚体，上体与下体之间也有一定的活动性，这种活动性是由多关节结构的脊柱提供的。一般情况下，上体可以 Z 轴为转动轴左右侧转动，最大转动角度约为350°；允许以 Y 轴为转动轴做前后俯仰转动，前俯最大角度约为70°，后仰最大角度约为30°；允许以 X 轴为轴做左右侧弯曲运动，左右侧的最大弯曲角度分别可达40°。

二、生理特性

人作为高级的生物体具有非生物不具备的生理特性，可以承担各种复杂的工作任务。在人－船－环境系统中，船上工作人员要能够应对不同的海洋情况，完成各类军、民任务。一切海上活动的顺利实现，除了必需的设备保障外，人作为核心环节，应具备必备的物理特性，还需要良好的生理素质。对于船上人员的生理特性，考虑船上工作、生活环境的特殊性，重点关注人的感觉系统和适应能力。

1. 感觉系统

人体能对周围环境（包括自身体内环境）中各种变化的信息，通过各种不同类型的感受器转变为生物电位变化，并以神经冲动的方式通过传入神经纤维传向中枢神经系统，经分析、处理而引起一定的意识活动，并通过一系列反射性活动使机体更好地去适应环境的变化。人体接受环境刺激后，立即产生最简单的意识活动，这种意识活动通常被称为感觉。

人体的感觉首先来自感受器或感受器官对环境条件变化的反应。感受器是指分布在体表或组织内部的一些专门感受环境条件改变的特殊结构，也称感觉细胞。感觉器官则是由感觉细胞和其与之相连的神经组织，以及一些附属结构共同组成的复合结构。

不同的感受器和感觉器官有着不同的结构与功能，这决定了它们对特定形式的环境刺激最为敏感，可感受的刺激强度最低。通常把这种特定形式的刺激称为该感受器或感觉器官的适宜刺激，把可感受的最低刺激强度称为感觉阈。如感光细胞的适宜刺激是可见光波长范围的电磁波，耳蜗毛细胞的适宜刺激是可闻声波长范围的机械振动。

尽管各感受器和感受器官接受的适宜刺激的物理属性和能量形式各不相同，但在人体神经系统中的传播都只是神经电位变化这一种形式。因此，各类感觉细胞都是一种特定的换能器。它能通过跨细胞膜的信号转换，把物理、化学等能量形式的刺激，转换为跨膜电位变化，进而引起感觉神经纤维的兴奋，并将环境刺激的部位、强度、速度的属性编码为神经纤维动作电位序列，经多次神经元的传递后，最终传输至中枢神经系统的特定皮层感觉区。

按照感受器和感觉器官的不同感觉内容和属性，人体的感觉主要有视觉、听觉、触觉、痛觉、嗅觉、冷热觉和平衡体位感觉等。其中，在人－机－环境系统工程中，视觉、听觉、触觉和平衡体位感觉最为重要。

(1)视觉功能

①视力

人眼可以辨别邻近的不同的物体和同一物体上不同的细节部分。视锐度(视敏度)是衡量视力的指标,它是人眼对空间两点(或线)最小距离的辨别能力,通常用视角的倒数来表示。测定视锐度时,通常将国际通用视力表置于 Landolt 环的缺口方向。如果刚能辨别的最小缺口环为 1.5 mm(视角为 1),则视锐度为 1.0。

视锐度受屈光系统的影响较明显。若因屈光系统功能不正常,不能使物像清晰聚焦于视网膜上,则视力明显下降。视锐度还和背景的亮度及对比度有关,在其他条件相同的情况下,背景亮度、对比度的增加,都有助于视锐度的提高。当物体移动时,由于物像的模糊,也使视锐度降低。

②色觉

色觉是人对不同色彩的感觉。人眼可见光线的波长为 370 ~ 740 nm,这也是人眼视细胞的感光范围。根据三原色学说,视网膜内存在 3 种不同的感光物质,它们分别能感受红、绿、蓝 3 种光。不同波长的光线对 3 种感光物质的刺激程度不同。人体所感受的不同颜色正是 3 种视细胞感受不同波长光线的感觉的综合效果。

人体由于某种原因(绝大多数为遗传因素)有一种或几种视细胞色素的缺陷,导致色觉的部分丧失或完全丧失,则称为色盲。若只是对某种颜色的辨别能力较正常人差,则称为色弱。色盲和色弱对外界物体颜色的感觉与正常人不同,因而不宜从事与颜色有关的职业。

色觉与背景亮度也有较大关系。当背景亮度变小时,色觉变差,但对不同颜色程度有所不同。在相同的低亮度条件下,对红光的视觉要明显高于其他颜色。

③双眼视觉

同一物体在人的两眼视网膜分别成像,但主观上人只能感受一个视觉形象。这是因为,物体是成像在两眼视网膜的对称点上,当视神经冲动向上传输时保持了视觉信息的空间相对关系,最终在视皮层被恰好融合成一个物像。实际上,左右眼的成像由于两眼间距的存在而不可能完全一致,多少有些错位。正是这种错位,使人产生了不同距离上物体的景深感,从而形成了立体视觉。人的视觉系统能判断立体视角的微小差别,最小可辨别的视差只有 4″ ~ 5″。倘若由于两侧屈光系统或感光系统甚至神经传输通路的某些异常,使两眼物像错位超过了一定范围,则两眼的物像不能融合,而形成了复视。

由于双眼视觉的存在,人有了立体视觉。但对于单眼,也可借助物像相对大小、阴影和散射、头眼运动、视觉远近调节等因素而获得立体视觉。这时后天获得的经验起到很重要的作用。

④视野

视野是当人的头部和眼球保持不动时,人眼能看到的空间范围,通常用角度来表示。当头部垂直于地面,两眼正对前方时,垂直方向上水平面上方的视野为 55°,水平面下方的视野为 60°。若加上眼球转动,上、下方的视野均可达 75°。水平方向上零线两侧视野各为 90°。若加上眼球转动,左、右侧视野均可达 95°。对于单眼,由于鼻梁的阻挡,鼻侧的视野要小于颞侧的视野。

人眼在垂直方向 3°和水平方向 3°的范围内视物,物像正落在视网膜的黄斑上,感觉最为清晰,故该范围称为最佳视区。在垂直方向水平线以下 30°和水平方向零线左右各 15°的范围内视物，物像清晰，该范围称为最佳视野范围。垂直方向水平线以上25°、以下35°和水平方向零线左右各35°的范围称为有效视野范围。在显示器空间布局时，显示信息应安排在观测者的有效视野范围之内。其中重要的显示信息应尽可能安排在最佳视区或最佳视野范围内。

⑤视觉适应

视觉适应是指人眼由一种光环境到另一种光环境的适应过程。最主要的视觉适应功能是暗适应和明适应。

人眼视觉灵敏度是随环境的光线强度而变化的。由亮的光环境骤然进入暗的光环境，由于眼睛开始是处于低灵敏度状态，需要逐渐提高，最后达到一个合适的稳定水平，这个过程称为暗适应。在暗适应过程中，人眼对暗环境里的物体的视觉逐渐清晰。同样，由暗的光环境进入亮的光环境，由于眼睛开始是处于高灵敏度状态，需要逐渐降低，最后也达到一个合适的稳定水平，这个过程称为明适应。若人眼由暗环境突然转入的亮环境的光线强度太强，则人眼难以忍受，甚至会造成人眼视觉细胞的损伤，导致失明。

（2）听觉功能

①听力

人耳能听到的声音的频率范围为20～20 000 Hz。低于20 Hz的声音为次声，高于20 000 Hz的声音为超声。次声和超声均可刺激人耳，但不能诱发听觉，故不是特异性刺激。

听阈是足以引起听觉的最小声强，反映人耳的听觉敏感性。人耳最灵敏的频率范围为500～4 000 Hz，平均听阈为5 dB左右，这是空气传导时纯音的听阈。对于非纯音，如短声、白噪声和语声也有相应的听阈。

②听觉辨别力

频率和强度是声音的最基本物理参数，也是人听觉感受反映的主要特性，但是人对声音的主观感受与声音的客观物理量并不完全对应。同时，对一参数，人的听觉还有一个辨别的问题，听觉对于声音某参数的最小差值称为听觉辨别阈。

对于声音的强度，人的主观反映是响度。声音越强，听起来越响，但其关系不是线性的。对于强度相同而频率不同的声音，人听起来是不一样响的。强度在30～80 dB时，人对强度（或响度）的辨别阈为3%，即可辨别约0.3 dB声压级差别的两个声音。

对于声音的频率，人的主观反映是音调。声音频率越高，听起来的音调也越高，但其关系也不是线性的。对于频率不同的声音，人能辨别的频率差异是不相同的。在1 kHz及其以下范围时，人对频率（或音调）的辨别阈约为1 kHz；在2 kHz以上范围时约为0.2%。

人耳对复杂声的辨别是基于对声音特征的提取与识别，因而辨别能力更强。如对正弦调制波调制频率的辨别阈可高达0.02%。此外，人耳还能对声源方位、声波相位和多种时间特性进行辨别。在双耳听取声音时，人的声源方位辨别阈为2°；单耳听觉时也能检测声波的相位，辨别阈约为2°。人对声音时程和脉冲声间距的辨别阈约为7%。

船舶舱室环境乃至整个船舶设计时，要考虑人的听觉功能，尽量减少和避免船上各类噪声对人的影响。

（3）其他感觉

除了视觉和听觉以外，人体还具有平衡体位感觉、嗅觉、味觉和触觉等感觉，这些感觉都有其特殊性和重要性。

①平衡体位感觉

平衡体位感觉的主观属性不像其他感觉那么明确，定性定量研究有难度。目前，主要是从前庭功能入手。前庭系统是感觉运动和重力的器官，其主要功能是控制运动体位的平衡。前庭系统是人体的平衡体位感觉和处理整合系统，它的主要功能是对人体运动体位平衡的控制。它由前庭器官、传入神经和各级中枢组成。除日常活动外，平衡体位感觉与航海、潜水、航空、航天等各种运动训练等关系最为密切，原因不一的各种眩晕和平衡失调属于多发病。

②嗅觉与味觉

嗅觉与味觉是人体对外界化学刺激的感觉。嗅觉感受的是空气中化学物质对人体的刺激，味觉是感受液态或固态化学物质的刺激。人对能引起嗅觉的气味物质的最小浓度称为嗅阈，常用每升空气中含有某物质的毫克数来表示。对于不同气味物质，嗅阈的大小可有很大的差异。对于同一种气味，不同人的嗅觉灵敏性差异很大。即使是同一个人，由于感冒、鼻炎等疾病，嗅觉也会受到影响。

人的味觉感受器是位于舌和口腔黏膜上的能感受味觉刺激的味蕾。不同部位的味蕾对各种味道的感受性不同。舌尖部主要对甜味和咸味，舌侧面对酸味，舌根部对苦味的阈值低。味蕾的形态呈球形，直径约 50 μm。味觉细胞的细胞膜上分布有可感受味觉的受体。人的基本味觉为咸、酸、甜、苦 4 种。一般来说，不同物质的味道与其分子结构形式有关，因此物质的味道是十分多样的。但是依靠这 4 种基本味觉的不同组合，人可以感受和区别种种味道。

③皮肤感觉

皮肤感觉是通过体表皮肤、黏膜和感觉神经传入的感觉信息的统称，它主要包括机械感觉（触觉与压觉）、温度感觉（热觉与冷觉）和痛觉。除痛觉外，各种感觉分别有相应的传感器。

a. 机械感觉

皮肤的机械感觉主要有触觉和压觉。微弱机械刺激皮肤表面的感觉为触觉，触觉传感器有很多。较强机械刺激使深部组织变形而引起的感觉为压觉。皮肤机械感受器接受刺激后，产生一组在空间和时间序列上构型复杂的冲动。人体不同部位皮肤的触觉敏感性相差较大。嘴唇、指尖等处的触觉阈很低，为 0.3 ~ 0.5 g/mm^2，躯干部皮肤的阈值要高于指尖的 10 ~ 30 倍。这是因为触觉感受器的分布密度不同，指尖掌面的触觉和压觉传感器的面密度为 100 个/平方毫米，而整个体表的平均面密度约为 30 ~ 40 个/毫米。

b. 温度感觉

温度感觉可分为热觉和冷觉两种，分别感受热和冷。它们分别对热刺激和冷刺激做出反应，其活动特点是在非伤害温度范围下活动，对温度的变化有动态的反应，并对机械刺激不敏感。热感受器在给予热刺激时呈现放电频率增加，在给予冷刺激时呈现放电频率减少；与此相反，冷感受器在给予热刺激时呈现放电频率减少，在给予冷刺激时呈现放电频率增加。温度感受器在组织学结构上均属于游离的神经末梢。热感受器数量较少，分布于 0.3 ~ 0.6 mm的皮肤深处；冷感受器数量较多，分布于 0.15 ~ 0.17 mm 的皮肤深处。此外，两者的静态活动也不相同。冷感受器的静态放电温度为 5 ~ 40 ℃，范围较大，平均放电频率的峰值在 25 ~ 30 ℃，但在 45 ℃以上时再次活动增强；热感受器的静态放电是从 30 ℃附近起，随温度上升而放电频率增加，最大放电频率在 41 ~ 47 ℃。

c. 痛觉

痛觉没有特殊的感受器，是感觉神经受到各种伤害性刺激时产生的感觉，如可导致损伤的拉伸、压缩、切变、扭转等机械刺激，可产生烧灼、腐蚀的化学刺激等均可引起痛觉。痛觉不只是局限于皮肤，分布于人体内脏、器官和组织的感觉神经末梢均可产生痛觉。

2. 生理适应性

人体在对外界环境变化所发生的反应中，经常不断地调整体内各部分的功能及其相互关系以维持正常的生命活动。人体的这种根据外界环境情况对自身内部机能进行调节的功能称为适应性。条件反射是实现机能调节和适应性的重要方面，且外界刺激超过一定限度，人体将表现出疲劳状态，疲劳也是人的生理适应性的一种特殊表现形式。

(1) 生理调节

人体内部细胞、组织和器官所处的环境称为内环境，以区别人体本身所处的外部环境。外部环境的条件一般不适合于人体生命活动的进行，而且通常又是变化的。为了保证体内各种生命活动的正常进行，必需使人体内环境相对独立于外环境，并保持一定的稳定性。例如，外环境的温度可由零下几十摄氏度变化到零上几十摄氏度，而人体内的温度始终在 37 ℃左右。同样，内环境的压力、酸碱度等其他理化参数也保持相对稳定，不随外环境的变化而变化。这种体内环境相对稳定不随外环境变化的机制称为生理稳态。当然，体内的生命活动过程也会引起内环境的变化，人体也必须对此做出反应，维持正常的内环境条件。

人体的生理稳态是通过一系列生理调节过程来实现的。譬如，外环境的温度过高，人体则通过排汗散发体内的余热以维持体温的稳定。又如，内环境中二氧化碳含量过高，人体将加快呼吸排除体内的二氧化碳，以降低体内的二氧化碳含量。生理调节的方式有神经调节、体液调节和自身调节。

①神经调节

人体通过神经系统对全身或局部生理功能进行的调节称为神经调节，它是人体生理调节的最主要手段。神经调节的基本方式是神经反射。

神经反射是在中枢神经系统的参与下，机体对内外环境刺激所做的规律性应答反应。神经调节的特点是迅速、准确、作用时间短暂和表现自动化。这和感受器与传入纤维形成特异性通路，神经传导速度快，传出纤维与效应器呈对应性联系等特点有关。由于神经纤维分布于全身各个器官和系统，通过神经反射可将各器官和系统联系在一起，形成整体性反应，保持内环境的稳定。

②体液调节

体液调节通常是指人体通过某一器官或组织分泌某种化学物质，通过血液循环、组织液扩散等体液传输，到达某一器官，调节该器官的功能活动。体液调节的特点是作用速度较慢，但作用面广泛，且作用时间持久。这是因为体液传输所需要的时间要比神经传导的时间长得多，而且体液流向全身的各个部位。很多内分泌腺不是独立行使调节职能的，它们直接或间接受神经系统的调节，这时的体液调节只是神经调节的一个环节，整个调节过程可称为神经 - 体液调节。

③自身调节

人体组织器官的有些调节并不依赖于神经和体液的调节，而是通过自身固有的机制进行调节。通常是组织或器官的活动超过一定限度时，通过组织或器官的自身活动进行调节,以防止过度活动的发生。这种调节方式只局限于少部分组织和器官。自身调节的特点是影响范围小,作用效应小,对刺激的敏感性也较低。

(2)条件反射

神经反射是人体生理功能神经调节的机制。神经反射根据形成条件有非条件反射和条件反射两种。非条件反射是机体固有的,是出生后便具有的神经反射,如婴儿的吸吮反射,口腔内食物刺激引起唾液分泌的反射,在强光刺激下的闭眼反射,等等,这些反射的产生是无条件的。相反,条件反射是机体在生活过程中,经过后天学习获得的,它的产生是有一定条件的。条件反射不是只有人才有的生理现象,也是一般动物所普遍具备的。

条件反射建立的基本条件是条件刺激与非条件刺激在时间上的结合,结合的过程称为强化。只要有足够的强化,任何条件刺激与非条件刺激的结合都可以形成条件反射。机体的外界环境条件是多种多样的,同时又是不断变化的。机体固有的非条件反射相对来说是数量有限的。因此,机体若只具有先天的数量有限的非条件反射,就难以适应复杂多变的环境条件。但由于条件反射是机体经过后天学习而建立的反射,所以机体就可以通过学习将环境中的种种有关刺激作为条件刺激和非条件刺激结合起来,成为先天的非条件反射的信息源,使机体的原本对特定条件的反应变成对环境多种条件的反应。此外,一旦环境条件改变,机体则又可通过“旧的退化,新的强化”的方式建立相应新的必要的条件反射。条件反射的机制使机体对环境的适应性大大提高。

(3)疲劳

过度的刺激和工作负荷可引起人体的疲劳。疲劳是一种生理过程,它是人体部分功能的下降或失常,是由于人体内同化与异化过程的平衡状态受到破坏而引起的。由于外界刺激的重复、负荷的加重,体内物质和能量的极度消耗,代谢分解物不能得到清除而不断积累,这不仅降低了人体各部位和器官的功能,而且影响全身,降低人的工作能力及情绪。

机体的疲劳有多种形式,反复或过度的机械性负荷可引起肌肉的疲劳;反复或过度的感觉刺激可引起神经的疲劳;脑力或心理上的过分负担可引起精神的疲劳。

①疲劳的生理表现

肌肉疲劳表现为承担过度机械负荷的肌肉群酸痛,收缩力减弱,有时还发生肌纤维阵发性痉挛,生物化学检查可发现血液中乳酸含量增加,生物电检查可发现肌电图异常。神经疲劳可表现为所过度使用的神经疼痛,对感觉刺激的反应时的延长和阈值提高,如视觉疲劳可引起视锐度的下降,闪光融合频率提高;听觉疲劳可引起暂时性听阈偏移。严重的疲劳可以导致全身的疲劳,除肌肉和有关神经疼痛外,还导致心血管系统、呼吸系统和免疫系统功能的变化。如引起心律和呼吸的混乱,血压的波动,外周血管血流量的减少和皮肤电反射的改变。免疫功能的改变,使人体抵抗疾病的能力下降。因此,长期处于疲劳的人极易得病。

②疲劳的心理表现

疲劳的心理表现是在疲劳引起的生理变化不断积累而得不到缓减的情况下逐渐形成的。疲劳时的心理变化表现在多方面,精神疲劳是其主要特征。精神疲劳首先是自我感觉全身的不适,即疲劳感。对外界刺激反应淡漠,兴趣降低,情绪低落,精神感到压抑、嗜睡。在工作中,表现为注意力分散不能集中,操作错误增多,工作效率明显下降。因此,长期而严重的疲劳往往是发生事故的主要原因之一。

三、心理特性

人的心理特性使人区别于一切动物,这种特性是人类在漫长的进化历史中,通过生产实践和社会集体活动而获得的。它使人具备了制造和控制机器、构建和改造环境的能力。人的心理特性对人－机－环境系统的高级特性起着极其关键的作用。

人的心理活动具有普遍性和复杂性。心理活动的普遍性是因为它始终存在于人日常生活和完成工作任务的全过程,可以说心理现象是时时存在、处处存在和事事存在的。心理活动的复杂性则体现在它既有有意识的自觉反映形式,又有无意识的自发反映形式;既有个体感觉与行为水平上的反映;又有群体社会水平上的反映;且与工作任务和环境应激有一定联系。心理活动尽管如此复杂,但从性质、形态和特征的不同,还是可以划分为心理过程和个性心理两个方面。

1. 心理过程

人的心理过程可以分为认识过程、情感过程和意志过程。在这 3 个过程中,认识过程是最基本的心理过程,情感过程和意志过程均产生于认识过程的基础上。三者既相互联系,又有层次水平上的差别,形成人的特定的心理状态。

(1)认识过程

认识过程主要包括感觉、知觉、记忆和思维这 4 种过程。

①感觉

感觉是人脑对直接作用于感觉器官的客观事物的个别属性的反映。感觉过程首先是建立在生理过程的基础上的,它又是最简单和层次最低的心理活动,是认识过程的出发点。

感觉按其刺激的来源可分为外部感觉和内部感觉。在人的心理活动中,外部感觉和内部感觉不是相互孤立和无关的,而是相互密切联系的。例如,在人体运动时,来自外部的视觉和来自内部的运动感和平衡感密切关联,共同协调人体的运动与平衡。其中,平衡感是对人体整体做直线的变速运动或做旋转运动状况的反映。机体感主要是指人体对内部脏器状态的感觉,因此又称内脏感觉。

②知觉

知觉是人脑对直接作用于感觉器官的客观事物的整体属性的反映。知觉过程建立在感觉过程的基础上,是对多个或多种感觉信息的整合,是比感觉过程更复杂而且层次更高的心理活动。例如,人们对于苹果的形状、颜色、香味、甜味和硬度等个别属性有了感觉后,对这些感觉到的个别属性进行综合,得出了对"苹果"整体属性的印象,于是形成了对苹果的知觉。知觉的产生不仅需要对客观对象的各种感觉,而且还需要借助过去的经验或知识的帮助,在经验的基础上对感觉信息进行加工和整合。知觉是人脑对感觉信息进行选择性、理解性和整体性的主动组织加工和深化过程。知觉一旦形成可在一定范围内保持稳定的认识,且不随客观事物的感觉条件而变化。例如,上述对苹果的认识不会随某个具体苹果的大小味道和软硬等感觉刺激的变化而改变。根据知觉过程反映客观事物的主观特性,知觉可分为空间知觉、时间知觉和运动知觉。

③记忆

记忆是对过去经验在人脑中的保持和重现。过去的经验是指以往感知过的事物、思考过的问题、体验过的情绪、完成过的动作，这些都可作为信息保持在脑中，并可在事后重现，即回忆或再认。若不能对这些以往事物的信息内容回忆或再认，或者不能正确回忆或再认，这就是遗忘。

④思维

思维是人脑对现实事物间接的和概括的加工形式，它以内隐或外现的动作或言语形式表现出来。思维过程的主要特征是间接性和概括性，这与感觉和知觉有本质的不同。所谓间接性即思维是借助于其他事物来认识客观事物，如通过生理、生化指标的检查，可间接地诊断病人的病因；所谓概括性就是对一类事物共同的本质属性及其内在规律的反映，如用“热胀冷缩”来概括金属、非金属等材料的体积随温度变化的现象。

思维是一种过程，这种过程包括一系列具体的操作方式。思维的主要操作方式是分析综合和抽象概括。思维在现实生活中的表现形式是概念形成和问题解决。

(2)情感过程

情感过程是人对外界事物所持态度的体验。情感和情绪是情感过程的两个层面，情感和情绪在现实生活中是难以区别的。情绪是和机体的生物性需要相联系的体验方式，带有情境的性质和较强的冲动性；情感则是同人的高级的社会性需要相联系的体验方式，兼具有情境性和稳固性，而较少冲动性。因此，情绪是较低层次的情感过程，是情感产生的基础，与情感相比得到更多的研究。即使是情绪也是十分复杂的心理过程，它与其他所有的心理过程一样，也是和生理尤其是神经系统多种水平的机能相联系。情绪对于人体生理、心理状态的维持、人的行为以及任务的完成有着重要作用。

(3)意志过程

意志是自觉确定目的，根据目的支配调节行动，克服困难，从而实现预定目的的心理活动。意志反映了人在认识和变革主、客观现实过程中的主观能动作用和个体积极性，是意识能动性的集中体现，也是人和动物在心理方面的本质区别，是人类所特有的心理现象。

人的意志活动的实质，不仅在于意识到行动的目的，而且在于积极调节行动以实现目的。意志对行动的调节作用表现在激动和抑制两个方面，而且在实际生活中这两个方面是相辅相成的。

意志行动的执行阶段就是实行决策阶段确定的行动计划。意志行动只有通过执行阶段，才能达到预定的目的。执行有两种方式：一种是采取积极方式来达到目的的外部行动形式；另一种是制止那些不利于达到目的的抑制外部行动形式。执行的这两种形式体现了意志对行动的激励和抑制的双重的调节作用。由于执行是在实际行动过程中完成的，因此所遇到的困难必然会更多更复杂，所以在许多场合，意志行动并非始终顺利，而往往困难重重。由于工作条件的恶劣、新的情况和问题的出现、有关知识经验的缺乏，常会引起信心的不足，巨大的智力和体力紧张和由此引起的烦躁、厌倦、疲惫等消极的情绪体验，因此需要做出更大的意志努力，才能把行动贯彻始终。

认识、意志和情感是人的3个基本心理过程，它们之间不是孤立的，而是统一的、密不可分和互相渗透的。

2.个性心理

个性是指具有个人意识倾向性和比较稳定的心理特点的总称。个性是在长时间的过程中形成的，它受家庭、社会潜移默化的影响，受学校教育的熏陶以及个人实践活动的磨炼，逐渐塑造而成，因而个性的形成受到社会生活条件的制约。一个人的身上表现出许许多多的心理特点，其中有经常出现和比较稳定的，有些是偶然的，而其中比较稳定和经常出现的心理特点即为个性。个性的稳定性并不排除个性的可变性，随着生活条件、教育与训练和个人修养等情况的变化，个性也是可以改变的。个性具有独特性，因为人与人之间没有完全相同的心理面貌，即使是同卵孪生子和同一家庭及教育经历的人也是如此。但是，人们在进行认识活动、情感活动和意志活动时，有一些共同的规律。共同的文化传统、风俗习惯和共同的经济生活决定着个性中也包含着一些共性。

个性主要包括个性心理倾向和个性心理特征两个方面。个性心理倾向和个体心理特征两者是密切联系的。心理特征受心理倾向的制约，心理倾向也渗透在心理特征之中。

①个性心理倾向是决定人对社会环境的态度和行为的积极性的动力系统，包括需要、动机、兴趣、理想、信念和价值观等。

②个性心理特征包括气质、能力和性格 3 个方面，它们分别反映不同侧面的心理特征。

③自我意识是主体对其自身的意识。自我意识是人的个性的重要组成部分，是个性结构中的自我调节系统，也是区别于动物心理的重要标志之一。

自我意识包括 3 个层次：对自己机体及其状态的意识；对自己肢体活动状态的意识；对自己的思维、感情、意志的心理活动的意识。自我意识的发展主要表现为自我评价、自我体验、自我控制能力的形成和发展。自我意识的发展过程是个体不断社会化的过程，也是个性特征形成的过程。

第二节　机的要素分析

船舶舱室环境工程涉及的“机”包括船上的机械设备和船舶舱室设备。在以往的人－机－环境系统中，机多指船上的机械设备、仪器仪表，随着人的主观能动性的发展提升，机的考虑范畴不断全面。船舶舱室设备是指设置在船舶起居处所、公共处所、服务处所以及某些控制站（如驾驶室）等处所的生活设备及设施，包括家具、厨房设备、卫生设备、医疗设备以及文化娱乐设施等。船舶舱室设备的配置同船舶的类型、用途、人员数量以及舱室布置情况有密切的关系。在现代船舶上，舱室设备的配置不仅应满足人们生活的基本需要，还应考虑各种文化娱乐的需要。

一、机的一般特性

1. 机的可操作性

机的可操作性是指在任何一个人－机－环境系统中，某个特定的“机”（包括机过程）在特定使用“环境”下，由经过选拔和训练的“人”（操作人员）进行操作或控制时，能够稳定、快速、准确地完成预定任务能力的一种度量。众所周知，每个人－机－环境系统都是一个具有反馈回路的闭环控制系统，其情况如图 3－3 所示。

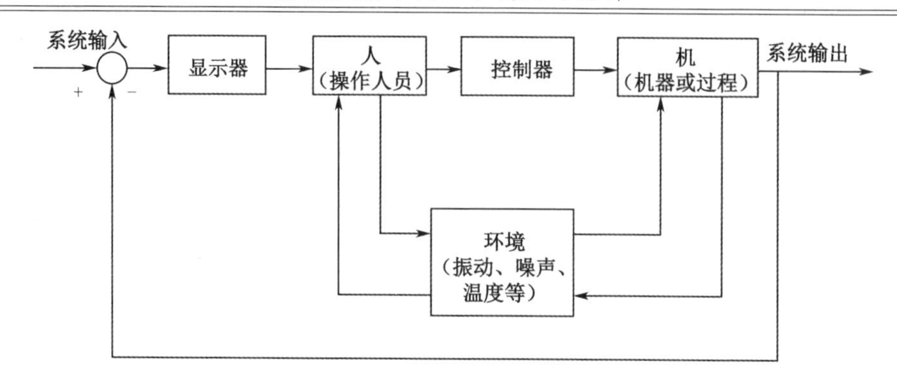

图 3-3 人-机-环境系统示意图

可操作性一般应具备以下 3 个特征:

(1)稳定性

稳定性是保证人-机-环境系统正常工作的先决条件。但是,当机的动力学特性设计不当时,人在对它进行操作或控制时,就会出现不稳定现象。

(2)快速性

为了很好地完成人-机-环境系统的预定任务,仅仅满足稳定要求是远远不够,还必须能快速地完成任务。

(3)准确性

在理想情况下,如果一个人-机-环境系统能快速地达到目标,但却不能准确无误地完成预定任务,那也不是一个好的系统。

2. 机的易维护性

(1)易维护性的定义

机的易维护性是指在任何一个人-机-环境系统中,某个特定的"机"(包括机器或过程)在特定的维护"环境"下,由具有规定技术水平的维护人员("人"),利用规定的程序和资源进行维护时,使机保持或恢复到规定状况能力的度量。

应该强调的是,这里所指的易维护性应包括两种情况:在故障状态下机的故障维修和在正常状态下机的定期养护。这两种情况下都要考虑维护过程中所涉及的可达性、安全性、经济性及便捷性等因素。

通常,易维护性最常用的参数是平均维护时间(MTTR),它可定义为:"在规定的条件下和规定的时间内,完成产品维护的总时间与被维护的产品总数之比",也即

$$\text{平均维护时间(MTTR)} = \frac{\text{维护的总时间}}{\text{被维护的产品总数}}$$

很显然,平均维护时间愈短,则机的易维护性愈好。

(2)易维护性的设计原则

①维护简便

a. 应给维护提供适当的可达性、工作部位和操作空间。

b. 需维护的设备、部件应有互换性,尽量采用标准件。

c. 应尽量采用标准化的设计和标准化的设备、组件、零件。

d. 应保证系统、设备和维护设施间的相容性,使之能配套使用。

e. 在保证正常维护的前提下,尽可能减少维护工具、辅助装置及保障设备的种类和数量。

②维护时间短

a. 尽量采用无维护设计和很少需要进行预防性维护的设备和组件。

b. 尽量采用模块化设计。根据实际需要,系统和设备可按功能设计成若干个能进行完全互换的模块。

c. 重要的系统、设备应尽可能设有故障显示和机内测试装置,具有故障诊断手段。

d. 在设计系统、设备、组件时,采用的材料、工艺、结构以及要求的维护环境和条件,都应从使用部门的维护能力和条件出发,以便于排除故障,缩短维护和维护准备时间。

e. 无机内测试的系统、设备,应设置进行检测的连接装置,尽量创造条件,使被维护的组件、设备、系统能进行原位维护。

f. 设备、组件、导管、电缆等的拆装、连接、紧固,检查窗口的开关等,都要做到简易、快速和牢靠,以缩短维护的拆装和工作时间。

g. 维护工作中的大量日常保障工作,如各种油料和特种液体、气体的加灌充填、弹药和武器的补充、装挂和卸取等应尽量机械化、自动化。

h. 故障应容易排除或修复,而且应能简易迅速地进行系统、设备、组件的修复或排除故障后的检验工作。

i. 能够迅速准确地进行组件、设备、系统的调整和校准工作。

j. 相互关联的装配件、固定架或设备应集中布局,各专业的设备、组件应尽量采用分舱、单层布局,以免维护时交叉作业和重复拆装。

③维护费用低

a. 尽量减少非必要的维护,维护成本要少。

b. 专用的工具、设备和维护设施要少,维护条件要求不应过高。

c. 零备件和器材的消耗率小、费用低。

d. 可修性要好,工作中容易发生磨损或故障的组件,应设计成可拆装的模块,使容易发生磨损故障的部分,能够进行局部处理,不致因某个局部超出容限而使整个组件报废;另外,设计时,应有一定的调整、加工余量,供检修时使用。

e. 对维护人员的技术等级要求不高。

④有预防维护差错的措施

a. 能将未检测出的故障或功能衰减降低到最低限度。

b. 在设计时应充分考虑并采取措施,以防止发生维护上的损坏、疏忽、误用或乱用等现象;如在连接、安装、开关口盖、充填和其他维护操作中防止可能发生的差错,要做到即使发生差错也能立即发觉,不会导致设备损坏和事故发生。

c. 应注意减少维护工作中的危险、肮脏、单调、别扭等容易引起人的差错的因素。

d. 维护标志、符号和技术数据应清晰准确。其中包括:凡是需要维护人员引起注意或容易发生维护差错的组件和部位,都应在容易看得见的位置设有维护标志、符号和说明标牌,说明标牌上应标有准确的数据和有关的注意事项;对于有固定操作程序的操纵装置都应有操作顺序号码和运动方向的标记;说明标牌上标志、符号及其颜色的含义应符合有关文件规定,维护设备上的标志、符号及其颜色的含义应与之统一。

⑤维护作业应满足人的要求

a. 测试点、组件调整和连接机构要便于识别和维护操作。

b. 工作舱口开口的尺寸、方向、位置等都要使操作者方便操作,有一个比较合适的操作姿态。

c. 在系统、设备上进行维护时的环境条件,应符合人的生理参数和能力。

⑥满足与维护有关的可靠性要求

a. 设计时应采用结构损伤容限和耐久性设计、电子元器件降额设计和必要的冗余度设计等设计原则;应使系统、设备、组件有合适的工作环境条件,以保证其能耐久地正常工作。

b. 应使系统、设备的构造、结构简单,并使组件、设备适当的整体化和综合化,以减少零件、元件、线路、管路等的数量,从而提高其使用可靠性。

c. 系统、设备应有良好的使用耐久性和环境的适应性;设计上应采取能预防和控制腐蚀的措施。

d. 应尽量采用合乎真实任务使用环境的试验标准和程序,使系统、设备、组件在实际使用环境中可能产生的问题及早被发现和解决。

⑦满足与维护有关的安全性要求

a. 当机器需采用有潜在危险的材料、油液时,应选择安全性最好的。

b. 严重危及安全的设备、组件应有故障自动防护措施,不至于当一个组件或设备发生故障或损坏时,导致发生伤害人员及损坏其他设备、组件的后果,同时尽量不要将被损坏后容易发生严重后果的系统、组件,如燃油箱以及其他某些要害设备和系统,布置在易被损坏的部位。

c. 组件、设备布局时,应考虑不使维护人员接近或处于高压电、高温、毒性物质、电磁波、放射性物质、有害视觉以及其他有危害的环境,并应有相应的防护措施。

d. 设计各活动舵面、减速板、弹舵以及活动舱盖时,应有防止误开、错关时发生伤人事故的措施。

e. 设计带有可燃物的系统时,对有静电失火危险的可燃物应有消除静电、防止跳火的措施。

f. 应急电门、应急舱口的按钮、把手应设置在可达性最好的位置,并有防护措施,防止因错动、误碰而发生伤人或损坏设备的现象。

g. 工作舱口和口盖的边缘锐边必须倒圆,并应有足够的开度,便于进出,以防划伤、碰伤。

h. 在安装操作、维护的技术文件资料中,凡与安全有关的,都应提出注意事项。

i. 设备、设施有可能发生危险的部位,应标有醒目的标记、符号和文字警告,以防止发生事故和危及人员、设备的安全。

⑧尽量降低对维护人员的要求

a. 维护人员的操作和工作应按逻辑和顺序安排。

b. 维护对象和维护设备应容易进行维护操作,并有良好的机动性、运输性和贮存性。

c. 需要的维护人员和维护专业应尽量少。

d. 维护程序和规程应简单、明确、有效。

(3)易维护性设计的现代方法

在可维护性设计中,如果将人-机-环境系统工程原理加以应用则能将机的易维护性设计提高到一个新水平。这时,维护人员(“人”)、被维护的机器(“机”)和进行维护作业的工作条件(“环境”)也就构成一个特殊类型的人－机－环境系统。该系统的总体目标为减少维护作业中的事故(安全)、缩短维护时间和提高维护效率(高效)、节省维护成本(经济)。

为了实现上述目标,可以利用计算机建立电子样机、人体模型及工具元件库,并在计算机上结合专家知识库进行判断,实现交互式模拟维护作业,把大量复杂枯燥的工作让计算机来完成。而且,还可以避免设计过程中维护性检查的随意性,对维护性检查不太熟悉的设计人员也不会感到困难,并可避免或减少设计和维护装配中出现的人的失误,同时,在机器的研制过程中,利用计算机存储的信息,可以方便地进行重新设计和易维护性检查,而不需要在真实模型样机上进行设计。这样做的结果,不仅可以大大减小劳动强度,缩短研制周期,而且可以极大降低生产成本。

3. 机的本质可靠性

(1)本质可靠性的定义

机的本质可靠性是指在任何一个人－机－环境系统中,在特定的使用“环境”下,“机”(包括机器或过程)的设计要具有从根本上防止人的操作失误所引起的人－机－环境系统功能失常或导致人身伤害事故发生的能力。

众所周知,人作为人－机－环境系统的工作主体,往往会出现人的操作失误。墨菲定律指出:“如果一台机器存在错误操作的可能,那么就一定会有人错误地操作它。”因此,人的操作失误具有必然性。机的本质可靠性设计的根本任务,就是在机的可靠性设计的基础上,还要充分考虑人的操作失误时可能产生的危险因素,在进行机的设计时,要从根本上防止人的操作失误,而确保人－机－环境系统的正常运行和人员安全。因此,对一个人－机－环境系统而言,机的本质可靠性分析与设计就显得极为关键。

(2)本质可靠性的设计方法

为了预防人的操作失误,本质可靠性设计通常可以采用以下方法:

①连锁设计

当机器状态不允许采取某种操作时,用适当的电路或机构进行控制,避免由于人的操作失误而导致故障。

②“唯一性”设计

“唯一性”设计是指机器的操作或连接只有一种状态(即要求的正确位置)才能被接受,其他状态都是排斥的,这就从根本上消除了人的操作失误的可能性。

③“允许差错”设计

在人的操作失误中,相当一部分原因是由于遗忘和失误造成的,“允许差错”设计是指允许操作差错存在,而不危及机器的安全。例如,采取程序控制的方法,完全由操作程序(即只有当前一个程序完毕后才能进行下一个程序的操作)进行控制就可以防止操作差错的出现。

④“自动化”设计

机器的自动化程度愈高,操作的数量和程序就愈少、愈简单,对操作者的技能要求也愈低,因此出差错的可能性也就愈小。例如,飞机飞行中的一个难点是飞机着陆,很多飞行员因为着陆技能不佳,造成飞机事故。如果是在航空母舰上降落那就更加困难,因为航空母舰在航行，海浪使甲板摇晃，因此飞机着舰的事故率就更高。为了保证飞机着陆（着舰）的安全，因而为飞机设计了自动着陆系统。

⑤“差错显示”设计

一旦出现人的操作失误，机器就会立即出现警告提示，通常有灯光显示和语音报警两种。采用差错显示装置可以加强有关操作差错的信息反馈，从而有效防止操作失误的发生。

⑥“保护性”设计

“保护性”设计是将一些非常重要的操作部位，如机炮、火箭、导弹等的发射按钮，都用一个红色的保险盖加以保护，平时不易碰到它们。一旦需要使用，首先必须将保险盖打开，才能进行发射操作。

二、船舶舱室设备的一般特性

船舶舱室设备是指设置在船舶起居处所、公共处所、服务处所以及某些控制站（如驾驶室）等处所的生活设备及设施，包括家具、厨房设备、卫生设备、医疗设备以及文化娱乐设施等。舱室环境工程侧重考虑人在船上的舒适性，本小节在传统机的特性基础上，关注一些典型的舱室设备的特征，如船用家具。

1. 船用家具的分类

按使用功能分类有坐卧类家具：凳、椅、沙发、床等；凭倚类家具：各种几、桌、台等；储存类家具：橱、柜、架等。

按构造方式分类有框架式家具：以框架为支撑构件的家具，其典型形式为榫头连接的家具；板式家具：用板架制作的家具；可拆装式家具：组成家具的各部件的连接面可拆装的家具。这种家具特别适合船舶上通道较窄的处所使用。

按组成形式分类有单体家具：单体造型完整的家具；组合家具：按一定模数系列，由一些标准件或单元家具组合而成的家具；固定家具：指利用室内局部不规则的围壁结构而构成的家具，使家具和结构混为一体。这种家具特别适合船舶舱室空间小形状不规则的处所使用。

2. 船用家具的特点

船用家具与一般陆用家具相比，虽然使用功能大致相同，但有许多不同于陆用家具的要求，这是由船舶的特殊性所决定的。船用家具除特殊要求外，一般采用固定形式。不同形式的家具分别固定在围壁和甲板上，以防止家具在船舶航行中移动。考虑到船舶航行中的安全性，家具靠近通道处的角一般采用圆角形，床沿设防浪挡板，椅凳下面设防浪钩。当家具采用管材制作时，则不可有任何开口存在，以防害虫进入。当设有上、下铺时，应在上铺的下面设防尘板。除特殊要求外，家具底脚一般采用围槛式，以防垃圾进入不易清除。由于一般船舶舱室面积不大，高度较低，因此应十分注意家具尺寸的选择，以使家具的构成与整体空间协调一致。随着船舶防火要求的不断提高，采用不燃材料制作的船用家具已经得到越来越多的使用，并将成为船用家具的发展方向。

第三节　环境要素分析

环境是人与机器共处场所的工作、生活条件，是人－机－环境系统的三要素之一。环境是指在系统中一切影响人的生活质量、身体健康、生命安全和工作效率，以及影响机器性能、运行状况和安全可靠性的所有自然的、人工的或其他因素的集合。在人－机－环境系统中，环境与人、环境与机器之间存在着密切的联系，有着物质、能量和信息的交换，并互相作用与影响，有机地结合为整体，相辅相成，密切而不可分割。

环境对船上的乘员有直接影响，这种影响有一定的耐受限值，如果超过耐受限值就会对人产生危害，影响安全。良好的船舶工作、生活环境包括舱室的空间布局、灯光、色彩、空气成分及噪声等方面，分析各种环境因素的属性特征对舱室环境的设计优化十分重要。

一、环境的一般属性

环境，作为物质世界的一部分，和其他物质世界的组成部分一样，具有空间属性、物质属性和运动属性。在人－机－环境系统中，环境并不是消极的因素，它既对人和机产生影响，也受到人和机对它的影响，与人和机有着密不可分的相互关系。

（1）环境的空间属性

环境的空间属性使环境可以容纳人和机的存在，并为人和机的活动提供场所。人和机可在各种不同空间属性的环境中存在和活动。例如，船舶游弋在海洋，承受的是海面或水下的环境条件；驾驶员和车辆奔驰在陆地，经历的是地面的环境条件；航天员和飞船飞行在太空，遭遇的是宇宙空间的环境条件。因此，在人－机－环境系统中，需要全面考虑系统的空间布局，人和机的工作区域，以及特殊空间和场所的各种环境因素对人和机的影响。

（2）环境的物质属性

环境的物质属性使不同环境各自具有相应的物理、化学、生物学特性，服从相应的物理、化学和生物学的基本规律，对环境中的人和机产生相应的物理、化学和生物学的作用。例如，在密闭舱室环境中，气压、温度和气流速度是环境的物理属性；氧、二氧化碳和微量有害气体是环境的化学属性；微生物是环境的生物学属性，它们同时存在，并且相互影响。因此，在人－机－环境系统中，需要全面考虑环境物质的物理、化学和生物学属性对人和机的影响，以及它们相互之间的作用。

（3）环境的运动特性

环境的运动特性体现在环境条件不是静止不变的，而是随时间的推移而改变的。环境中各因素不仅自身随着时间的推移而变化，同时也因受到环境中人、机的影响而逐渐发生变化。例如，舱室环境一天的照明和温度是随时间不断变化的，而且随着人和机在室内停留和工作时间的延长，室内温度和二氧化碳浓度等会缓慢地升高。因此，在考虑环境中系统的性能和功能以及环境因素的影响时，要有变化和动态的观点。

（4）环境与人、机之间作用的相互性

环境是容纳人和机存在的场所，是保障人和机工作的必要条件。环境中的各种因素，不论是物理的、化学的还是生物的，都会对人和机产生作用和施加影响。但是反过来人和机的活动也会对环境产生影响。如上述环境运动特性的例子中就是人和机的活动对室内环境温度、二氧化碳浓度的影响,这种影响的性质和程度是相对比较轻的,影响范围也只是局部的。又如一个生产有害物质排放的人机系统长时间工作,会给环境带来极大的污染破坏,其性质和程度是相当严重的,影响范围也是广泛的。

二、空间布局环境属性

空间布局环境涉及舱室的区划与布置。舱室区划是各层舱室甲板平面的总布置设计,包括上层建筑和其他甲板平面上的各类舱室的总体划分,必须体现结构防火的划分。舱室布置是对区划好的各类舱室在满足功能及规划要求的前提下,应用美学原理、布置原则等进行舱室内部家具、设备和陈设的布置。

通过船舶舱室内部环境设计,可以改善船舶的适居性,提高船员和旅客的工作和生活环境。陈设设计在舱室内部环境设计中又占有重要地位,它对舱室内部空间形象的塑造、气氛的表达、环境的渲染都起着画龙点睛的作用。

结合舱室内部环境的特点对陈设品布置与选用进行分析,充分发挥陈设品的使用功能的同时,遵循一定的形式美法则,创造一定美感的水上居室环境。陈设设计作为舱室空间的二次设计和创造部分,是遵循一定的设计理念及对舱室内部环境设计的延伸。在选用陈设品时需要结合船舶航行的外部环境、内部功能空间的风格等因素综合考虑,使陈设品紧贴室内环境主题,突出与该舱室功能相符合的鲜明性格,承载和传达船员和旅客的思想感情,丰富空间环境。

三、光环境属性

1. 光照的基本概念

光是人们认识世界的必要前提,只有客观环境存在光,人们才能借助于光照看清色彩、看清形态、看清客观世界的一切。人对光环境的需求与其从事的活动有密切关系:在进行生产、工作和学习的场所,适宜的照明可以振奋人的精神、提高工作效率、保证产品质量、保障人身安全与视力健康。因此,充分发挥人的视觉效能是营建这类光环境的主要目标;而在居住、休息、娱乐和公共活动的场合,光环境的首要作用则在于创造舒适优雅、活泼生动或庄重严肃的特定环境气氛,使光环境对人的精神状态和心理感受产生积极的影响。

光环境的设计和评价离不开定量的分析和说明,这就需要借助一系列的物理光度量来描述光源与光环境的特征。常用的光度量和相关概念有光通量、照度、亮度、色温和光的显色性。

(1)光通量

辐射体单位时间内以电磁辐射的形式向外辐射的能量称为辐射功率或辐射通量。光源的辐射通量中可以被人眼感觉的可见光能量(波长 380 ~ 780 nm)按照国际约定的人眼视觉特性评价换算为光通量,其单位为流明(lm)。

(2)照度

与人们生活最为密切,也是设计者最关心的亮度,不是光源的亮度而是指被照物体或工作面上人们感受到的亮度(也称为辉度)。对于被照物体或工作面,人们常用照度这一概念来反映其被照射的程度,照度的物理意义是指被照物体单位面积上所受光通量的多少。

照度的大小,首先决定于发光体的发光强度。发光强度单位为坎德拉(简称"坎"),符号为 cd,它表示在 1 sr 球面度立体角内,均匀发出 1 lm 的光通量。

照明大小,不仅决定于发光强度,还同光源距被照面的距离有关,距离越近照度越强,距离越远照度越弱。

照度大小,还同被照面与光源所形成的角度有关,被照面直接对着光源与光源发射出的"光线"形成直角时,照度最强,倾角越大照度越弱。

(3)亮度

亮度的常用单位为坎德拉/平方米,以符号 cd/m^2 表示。发光强度越大,亮度随之也增大,但人们实际视觉感受到的亮度却与之有一定区别。譬如同一盏信号灯,夜晚看的时候感觉比白天看的时候亮得多;又譬如在房间同一方向并列放置黑白两个物体,虽然它们所受到的照度相同,但是在观察者眼中所引起的视觉亮度却完全不同,看起来白色物体要亮得多。我们把直观看去一个物体表面发光的属性称为"视亮度",这是一个心理量,没有量纲。它与"光亮度"这一物理量有一定关系,同时还受到材质的表面特征、环境色、空间大小等因素的影响。

(4)色温

色温可用来定义光源颜色。不同光源按其颜色感官效果可以分成三组,表 3－1 表示各组相对应的相关色温。

表 3－1　光源的颜色外观效果

相关色温	颜色外观效果
>5 000 K	冷
3 300～5 000 K	中间
<3 300 K	暖

(5)光的显色性

现代光环境设计十分注意光的显色性。不同光谱组成的光源照射同一物体会使物体显现出不同的颜色,显色性好的光源能较好还原被照物体的自然原色。光的显色性的选择是按照人们的心理需求来决定的,在照明设计中必须十分注意照明光色与物体表面色的关系。光源的显色效果还与照度水平有关。实验证明,在低照度时,往往用低色温光源较好;随着照度的增加,光源的色温也应提高。表 3－2 说明了观察者在不同照度下,对光的不同颜色外观效果的综合印象。

表 3－2　不同照度下光的颜色效果与感觉

照度/lx	光的颜色外观效果		
	暖	中间	冷
≤500	舒适	中等	冷

表 3-2(续)

照度/lx	光的颜色外观效果		
	暖	中间	冷
500~1 000	↑↓	↑↓	↑↓
1 000~2 000	刺激	舒适	中等
2 000~3 000	↓↑	↓↑	↓↑
≥3 000	不自然	刺激	舒适

2. 自然光照对人的影响

光环境是舱室内环境的重要构成要素,对人体生理健康和精神状态有着重要的影响。室内光照设计永远是以人为服务对象,要将人的生理反应、心理效应及文化思维这 3 点综合考虑,并以这 3 点作为设计出发点,以期达到室内光照"人性化"。

一般来说,室内光源可以分为自然光和人工光这两类。利用阳光永远都应是室内环境的首选。自然光由直射光和天空扩散光组成,因季节、所处地域以及云量多少,变化很大。直射光是太阳光穿过大气层,直接照射到地球而形成的,在遇到障碍物时会产生强弱不等的阴影;天空扩散光是阳光在大气层中碰到各种微粒经过多次反射而形成,不会产生阴影。上述室外天然光的状态透过窗口直接进入室内,就构成了室内天然采光。

近年来的许多研究表明,太阳光是人们身心上长期感到舒适满意的关键因素。自然光照的重要性可以总结为以下几点:

①太阳光既能创造良好光环境,又不会产生能源负担,完全清洁、零能耗。如果全部采用人工光源将会耗费大量电能,间接造成环境污染,不利于生态环境的可持续发展。合理利用自然光可降低建筑照明能耗。

②太阳光可以说是综合性能最优的光,它具有亮度高、光色全和显色性优等一系列优点,同时还具有强大的化学作用,如杀灭细菌、促进人体产生维生素 D 等。随着科学技术的发展,人造光源的种类和功能越来越丰富,但其综合性能与太阳光比依旧有较大不足。

③人类在自然界中进化演变而来,人眼作为视觉器官,最能适应的是自然光。人工光源不具备自然光那样连续的光谱,各种波长的光的组成比例也存在缺陷,时间久了容易让人产生视觉疲劳。

④光照不仅是可视的,更是可感的。在心理要求上,人们容易对那种单调死板的均匀照明方式产生厌倦;而对富有光影跃动、层次鲜明的室内光照感到愉悦。自然光丰富多变,不同时段,不同季节光线的变化能为舱室内部创造丰富的光影层次,呈现鲜明的视觉功效,使室内人员得到视觉和心理的双重满足。另一方面,如果舱室没有自然光的进入,船员与外界长时间隔离开来,感受不到自身时间与空间的变化,很容易产生心理失衡。

船舶生活区域是船员开展工作、学习、生活以及各种活动的场所,也是船员休闲、睡眠的地方。因此,在条件允许的情况下应尽量把生活舱室靠近外墙布置,通过舷窗来引入自然光照,使船员达到视觉上的满意、舒适及心情上的愉悦。

3. 规范中的光照指标要求

船舶规范要求中只对照明灯具和舱室照度有硬性规定。一般来说,居住舱室与卫生单元的照度要求较低,在75 lx左右,阅读室与会议室照度要求最高,达到200 lx以上,而餐厅及休息活动场所介于两者之间,照度为150 lx左右。然而照度要求低并不意味着该舱室光照布置不重要,博物馆和美术画廊就是最好的例子——这两者都须在保持低照度的基础上通过灯光设计来引导人们产生联想与共鸣,对光环境提出了较高要求。因此,不能以照度大小来评判光照在室内环境中的重要程度。

目前,我国船舶舱室的光照设计大多还停留在满足可视功能、单一追求亮度的简单思路上,要摆脱这一局限,需要更加注重对船员心理和文化底蕴的理解,设计出符合室内风格和氛围的光照环境。

4. 舱室灯光设计标准与要求

舱室照明设计对于船员生理与心理的影响密切相关。为在舱室照明设计中构建适于船员的照明环境,需要根据不同功能舱室,依据船舶照明设计规范,进行符合其内部照度的光环境设计,其中包括照度计算、光环境分析、计算结果软件验证等环节,最终选出与相应舱室内装相匹配的灯具选型,为人性化舱室设计做出理论支持。

根据相关规范中对不同舱室工作面一般照度与清晰照度的要求如表3-3和表3-4所示。

表3-3 一般照度

舱室或区域	初始平均照度/lx
居住舱室和铺位区	75
餐厅及休息活动场所	150
阅览室	225
餐桌及供膳柜台	175
医疗舱室	100
卫生舱室	75
贮藏舱室	30
会议室	225
通道、楼梯升降口等	75
轴隧	50
电子设备舱室	175
机械设备舱室	150
集中控制室	150
驾驶室	75
海图室	75
直升机库、塔台	150
蓄电池室	100
动力集控室	175

注:设有荧光屏的舱室初始平均照度要求值为75 lx。各类舱室或区域的局部工作面上清晰照度值应满足表3-4的要求。

表 3 – 4　清晰照度

舱室或区域	初始平均照度/lx
床铺	△
写字台、一般工作桌、办公桌	300
阅览桌	300
炉灶台面、食品加工台面	300
镜子、镜面箱	△
手术台	△
电子设备操纵台、计算机键盘等	300
仪表板、控制盘、配电板	200
布告板	300
海图桌	300

注:“△”表示清晰照度值不做规定,其照度值通过安装适当的局部照度灯达到。

四、色彩环境属性

色彩是借助光来作用于人的视觉系统而引起的一种感觉,所以在有光的情况下就有色彩的存在。色彩是由红、橙、黄、绿、青、蓝、紫、黑、白及这些颜色的混合的总称。色彩的各种特性的结合可以影响人的感知和身心状态的好坏,甚至可以关系到人们的物质生活和精神生活。人类通过感知系统感受色彩,从事与色彩密切相关的艺术工作,色彩在整个过程中的地位都是不容忽视的,其与外形、明暗、纹理等相比,都更具有表达性与视觉冲击性。色彩包括色相、明度、纯度 3 种属性。

①色相指的是色彩的主要特性,是区别各种色彩的主要标准。色相的特征主要取决于光源的光谱组成以及有色物体表面反射的各波长辐射的比值对人眼所产生的感觉。不同色彩的波长不同,所以人们看到的红色的色相就是红色,绿色的色相就是绿色。

②明度指的是色彩的明暗程度,不同色彩具有不同的明度,例如黄色就比绿色的明度高。一个画面中明度的合理安排有助于感情的表达,如将天空的明度低于地面,就会产生一种压抑的感觉。色彩存在明暗变化,其不仅取决于外部对物体的照明程度,还由物体表面的反射系数决定,所以黄色明度较高,紫色较低,绿、红、橙、蓝的明度近似,称为中间明度。在同一色相中还存在着明度的变化,如黄色可以分为淡黄、中黄、土黄等。

③纯度指的是色彩的鲜艳程度。从科学角度出发,色彩的鲜艳程度取决于色相发射光的单一程度。能通过肉眼辨别出的色彩都拥有不同程度的鲜艳度。色彩不仅在色相与明度上存在差异,其纯度也存在不同。

1. 色彩学对舱室环境的影响分析

(1)色彩对舱室环境的客观影响

色彩是与舱室空间内的每个物体不可分割、密切联系在一起的。就如人们在深蓝色天空下,即使很远的距离也比较容易看见橙色的屋顶而不是灰色的,这证明了色彩存在信号感,对人们生活有着不可否认的客观影响,可以从色彩的美学、表现、调节及物理功能4个方面来论述。

美学功能是外界作用在人们心理上的一种反应。例如将人们处于白皑皑的冰雪环境中时,会让人有种空旷无依与寒冷的感觉,如果雪地中出现一面彩色旗帜,则顿时会给人一种方向与希望之感觉。这也正说明了在舱室环境中合理地利用色彩可以提升美感,真正的利用色彩的美学功能。

表现功能是色彩对不同人所具有的特定个性的一种表现。不同人使用不同明度与纯度可以反映出不同的特性偏好,一般使用暖色进行舱室装饰的人多为性格开朗、乐观积极的人;相反,喜欢冷色装饰空间的多为平静、稳重之人。由于船舶舱室空间的狭小闭塞,所以在色彩的选择上要综合考虑各方面因素,以便于使舱室环境得到更好的改善。

舱室运用不同的色彩对船员的心理可以产生不同的影响,红色是色彩中最为新鲜的色彩,同时也是三原色之一,是生命、活力、健康与欢乐的象征,由于船舶舱室环境的封闭性,所以红色应慎用;橙色是最温暖的色彩,所以居住室内可适量运用,以表达舱室的舒适和温馨;黄色亮度与纯度较高,可用于舱室环境内的警示标识;蓝色属于短波色,代表着庄重与严肃,可适当用于办公功能的舱室,由于其靠近大海色彩,在使用面积上应适当选用。

空间调节感是用色彩的明度与纯度两要素来调节空间的大小感觉。如果房间空旷,可使用低明度暖色来拉近人与空间的感觉,给人一种房间紧凑的实际错位感觉;相反如果房间过小可采用冷色的墙壁或棚顶,这样给人一种提升与推远的感觉。也可以通过色彩的反射率调节光感,当然在狭小的舱室环境宜采用明亮与温暖的色彩来扩大空间与拉近人与空间的距离。

色彩的物理功能主要反映在其物理性能方面,冷暖、远近、轻重、大小等这都是由于物体本身色彩对光的吸收和反射不同的结果,同时也存在着物体之间颜色的相互作用,所以色彩物理功能在舱室设计中的作用是不容忽视的。

(2)色彩对舱室环境的主观影响

不同的色彩在长期使用与设计过程中,可以映射出不同的情感,长此以往,人们把不同色彩赋予了相应的性格,使其与人们的精神产生共鸣。由于时代、民族与环境的差异性,色彩也代表着不同的含义,所以在使用与设计上也有着不同的原则,舱室的设计同样也要注意这些特性,根据船员的地域、民族、性别等差异来设计舱室环境,所以在色彩的运用上要有依据的选择也映射出相应船员的情感。

2. 色彩学在舱室环境中的应用

色彩是影响船舶舱室环境的重要因素,是室内环境设计的灵魂,其对船员心理情绪、情感、健康以及视觉功能起到至关重要的作用。在一个固定的舱室环境中,色彩总是首先闯入人眼帘,而且也是舱室环境元素中最具有感染力的部分。因此,舒适与合理的色彩调和与设计是改善舱室生活环境的重要手段。由于船舶舱室环境在色彩方面普遍欠缺设计感,针对该情况,国内外船舶不断地将色彩学引入到舱室环境中,改善已不能适应现代船舶舱室发展需求的情况,对此也引起了船舶行业的重视。

为确保舱室色彩环境设计的高质量,总的设计应体现舒适合理、朴实庄重、方便实用的原则。尤其是色彩对船员心理与生理各方面的影响及对舱室使用功能的要求应作为重点考虑。

①色彩作为船舶舱室设计的重要内容,应由专业设计人员提出设计方案及资料,并经相关部门的认可。对于某些需要重点设计色彩效果的舱室,应提供色彩效果图或模拟舱室,以此来达到理想的舱室色彩效果。

②除了对船舶舱室总体的色彩考虑之外,对于舱室内部各部分划分也要进行合理的协调与策划,室内环境色彩可分为背景色、主体色、强调色3部分。

背景色主要包括天花、地坪、舱壁、门窗等对整个舱室空间起到衬托作用的物体。由于背景色所占面积较大,所以在色彩的设计上应谨慎,如此部分可采用低彩度高明度的陈静色彩。

主体色主要包括家具、织物等中等面积的色彩,对舱室整体色彩起到协调与衔接的作用。根据面积与物体的重要程度,色彩的设计上应以结合背景色为重点进行设计的同时,适当考虑强调色彩。

强调色主要包括书画、盆景、灯具等装饰品,色彩面积较小,其在舱室环境中起到点缀作用,颜色上经常采用比较跳跃的色彩,但也要适当考虑舱室整体色彩风格。

③舱室环境色彩的应用还应该充分考虑到对船员生理与心理的影响。居住舱室应避免大面积应用刺激热烈的色调,避免使用一些容易让船员产生烦躁和视觉疲劳的凌乱色彩。可以选用一些色彩明快的桌布、沙发套及窗帘等,与舱室整体协调且起到点缀作用,从而使生活在其中的船员感到愉悦与轻松。

④由于船舶是大型的海上移动建筑,其航行时产生晃动、噪声等是不可避免的,所以在色彩的明度上宜采用“下低上高”的原理来进行设计,缓解船员心理方面的晃动感与提升稳定性。

⑤舱室环境多数为封闭式,照明方式多依赖于人工照明采光,其对色彩的呈现也起到一定的影响,所以在舱室色彩的运用上还应充分考虑照明的冷暖及照明强度,通常舱室壁面的色彩明度不应该小于8.5,由于驾驶舱室、雷达舱室、声呐舱室等需要集中注意在驾驶航道与电子屏幕上,所以可以选用明度偏低的色彩与目标物形成对比,起到集中注意力和提高视觉的识别性的作用。

⑥从维修与后勤保障方面考虑,舱室涂料色彩种类不宜过多,但又不能过于单调,所以在初期的装修上应充分考虑与策划好全船不同区域、不同舱室在色彩方面的合理应用。另外,应用于船舶舱室的涂料应从有关部门认可的色彩中挑选,达到特种船舶的基本要求,保障后勤服务与维修部门后续保养或二次改造。

⑦由于船舶是大型海上移动建筑物,一旦火灾发生很难扑救,所以在颜料应用上应尽可能选用低燃烧与低毒性的,减少其产生的危险。

⑧色彩在各类舱室的运用:

居住类舱室,此类舱室多用于生活居住,色彩上宜选用暖色或冷暖搭配,以此增加居住的舒适性;另外,还要注意船舶的地域性,如北海海域气候偏冷,船舶舱室应偏向于采用暖色调,东海和南海海域气候偏热,应采用冷暖搭配调居多,合理地运用色彩弥补地域的缺陷,从而设计出舒适合理的舱室环境。办公类舱室,由于办公舱室多用于船员工作或接待客人使用,所以在色彩的选用上宜以庄重色彩为主,从而彰显特种船舶人员工作性质的特殊性与严肃性。膳食类舱室,此类舱室经常处于潮湿与油烟的环境中,需要频繁地进行清洁,所以除了不锈钢面积外应尽量以亮色为主,使污渍难以藏留。

五、空气环境属性

通风是用自然或机械的方法向某一舱室送入室外空气和排出室内空气的过程。通风的功能主要有：

①提供人呼吸所需要的氧气。如果舱室内外空气无法流通，船员长期处于封闭状态，容易产生胸闷、头晕、头痛等一系列病状。为了保证船员健康，必须要有新鲜空气的进入并保证用量要求。

②稀释室内污染物或气味。室内污染物多种多样，如装饰材料散发的挥发性有机物、人体新陈代谢产生的、电器产生的臭氧等。这些污染物会散发到空间各处，在室内形成一定的污染物分布，大量污染物堆积会对人身体健康产生不利影响。而异味、刺鼻性气味的存在更会影响船员的日常生活和工作，严重时引起咳嗽、头晕等反应。

③保证船员热舒适。经过一定处理（除热、除湿）的空气通过空调送到室内可保证室内人员对温度、湿度、风速等的要求。当室外空气温度和含湿量低于室内含湿量时，自然通风下也能排出室内余热和余湿，实现对室内的温度和湿度的一定的控制。

通风可分为自然通风和机械通风。随着科技的发展，船舶通风手段越来越丰富，机械通风系统的设计也越来越完善，对于布置有空调设备的舱室采用空调出风就能实现换气次数要求；对于没有安装空调的舱室和走廊通道，通过通风管路以及通风设备的布置也能达到换气次数要求。然而船员在船上生活时，自然通风却与船员的生活质量息息相关，是设计师在舱室布置阶段不可忽略的因素。

目前在船舶舱室内所使用的空调大多是仅有定向、摆动送风和风速选择变化的机械风送风模式，它的出口或风扇位置固定、气流的断面积相对较小，所形成的大多是近似线型的单向气流与地表处自然风的主风向的气流断面很大、且气流的瞬时方向随机变化相差很大。长期处在空调环境中，由于皮表温度较低而引起血管收缩、皮肤血流量减少、汗腺活动受到一定程度的抑制，这将会引起人体代谢功能下降、心率与呼吸减慢、呼吸道黏膜的抵抗力减弱，容易诱发呼吸道疾病和导致神经功能紊乱等。人体在稳态环境中缺少适当刺激，使人们对自然环境变化的适应能力下降，导致人体体温调节功能和抵抗力衰退，而使人们易患伤风感冒和中暑等疾病。这些被统称作“空调病”和“病态建筑综合征”。

与机械送风相比，自然风的气流更易使人们感到风速的起伏波动变化，这些波动变化符合人体生理节律的“$1/f$波动”规律，使人产生自然、清新和舒适感。另外，自然风与机械风吹风感的对比试验也表明，人们对自然风具有更好的接受性。

若舱室一侧布置有窗户，开窗通风的同时能满足人们心理上亲近自然、回归自然的需求，有利于人的身心健康。另一方面，虽然越来越多人意识到自然空气的重要性，开始在船上通过装配新风系统来保障新鲜空气的供给，然而新风系统的换风效率仍然不能与自然通风相比，在机械送风设施完备的情况下，适当开窗具有快速送入新鲜空气、稀释室内二氧化碳浓度、加快室内污染物排出等不可比拟的优势。因此有必要对舱室自然通风进行研究。

六、噪声环境属性

噪声是声的一种，它具备声波的一切特性，对于声音强大而又嘈杂刺耳，或者对某项工作来说是不需要或有妨碍的声音,统称为噪声。船上空间狭小而设备众多,声环境十分恶劣会对船员的休息、工作产生极大影响。为保证船舶的居住性能,需要对噪声进行严格把控。目前国内在船舶噪声控制的整体状态上往往简单地认为降低噪声只要靠吸声和隔声内饰就能解决问题,这种被动降噪的做法成本大,容易压缩舱室空间并加大船体质量。如果在设计初期就结合声学要求进行结构设计和舱室布置,能使噪声控制更有效。

要研究噪声就必须了解衡量噪声强弱的基本物理量——声压级、声强级和声功率级。声压级是噪声的基本物理参数,但人耳对声级的感受不仅和声压有关,而且也和频率有关,声压级相同而频率不同的声音听起来往往是不一样的。因而引入响度级这一概念来把声压级和频率统一在一起,并通过大量试验得到等响曲线(图3-4)。

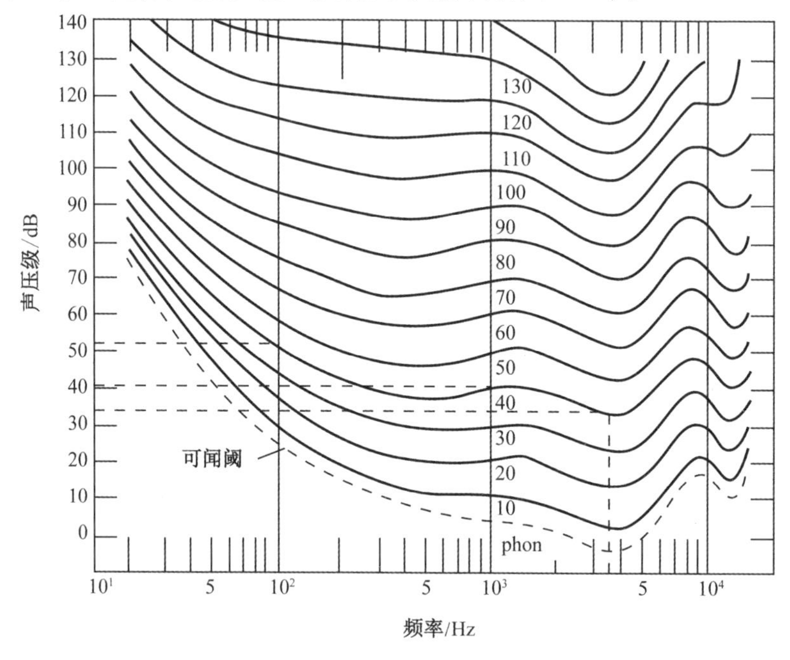

图3-4 等响曲线

从等响曲线中可以发现人耳对2 000~5 000 Hz的高频声最为敏感,对低频声不敏感。为模拟人耳对声音响度的感觉特性,在声级计上设计了3种不同计权网络,即A、B、C网络(图3-5)。其中A网络对低频段衰减较大,由于其对高频敏感对低频不敏感的特性与人耳对噪声的感觉一致,近年来,人们在噪声测量中,往往就用A网络测得的声级来代表噪声的大小,称为A声级,并记作dB(A)。

一般在对船舶噪声进行评价时,除了A声级,还涉及噪声评价曲线(NR曲线),如图3-6所示。NR曲线是国际标准组织给出的不同频率允许噪声值。可以看出,低频容许值较高,这是根据人耳对低频敏感程度较弱以及低频的消声处理比较困难而制订的。

引起舱室噪声的主要噪声源分为结构声和空气声两种,结构声由设备振动引起;空气声则包含室内噪声源引起的空气声辐射、室外或临近舱室噪声通过围护结构(如舱壁、甲板等)传入舱室的空气声、室外噪声通过围护结构开口(如门、窗等)传入室内的空气声。船上产生振动噪声的设备主要有螺旋桨、柴油机、泵、减速齿轮箱等,在无阻尼材料或绝缘材料敷设的裸船体上,壁板结构对振动和噪声的抑制作用较小,上述大型设备产生的振动和空气声是全船噪声的主要来源；而空调器室、冷藏室等小型设备舱室主要对周围舱室产生噪声影响，随着距离增大，其影响力急剧减小。可参考裸船体主要舱室噪声预报值，将全船大型设备引起的噪声当作待研究舱室的自带声源，然后再进行区域内舱室噪声的交互影响研究。生活区域内有时也存在一些舱室，其工作时本身会产生较大噪声，如风机室、空调器室等。如果住舱布置在这些舱室周围，必定会遭受更大的噪声影响。

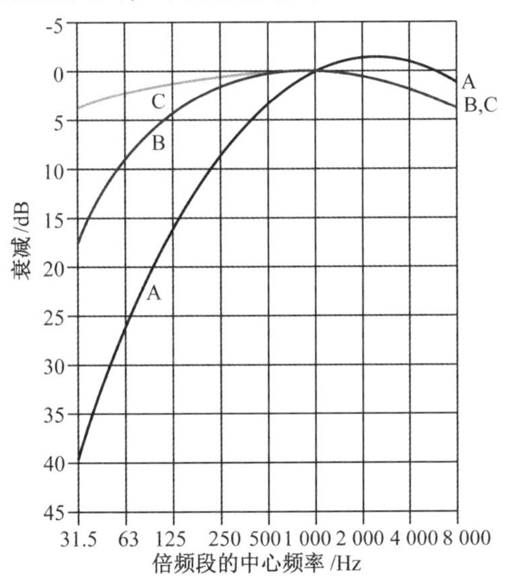

图 3－5　噪声计权曲线

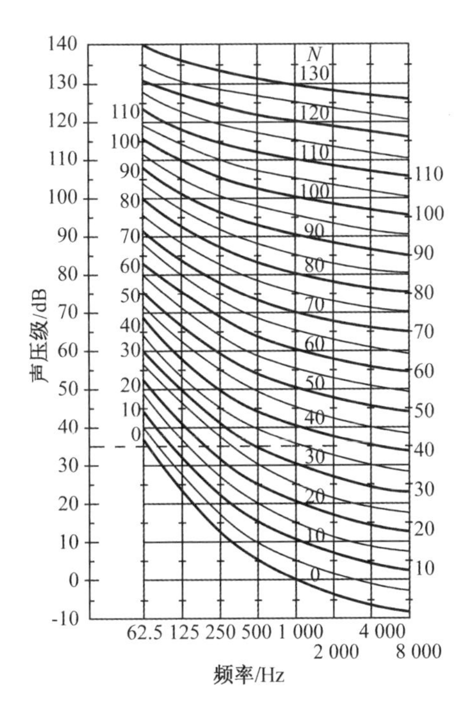

图 3－6　噪声评价曲线(NR 曲线)

第四章 船舶舱室环境设计

船舶长年航行于海上,变化多端的海洋气候和海况对船舶内部环境的影响极大,船舶本身的特点也对营造适宜的内部环境带来很大影响。与陆上建筑相比较,船舶的工作和居住环境是比较差的。与人能够承受或感到的比较舒适的环境条件相比较,船舶内部环境如果不加控制和改造,则对长期工作居住在船上的船员和旅行休息的旅客都是不合适的。因此,改善船舶的舱室环境,提高船上的工作和生活条件是一项非常重要的工作。

船舶舱室内部环境设计在总布置设计阶段进行,它是船舶建筑内部设计中最具艺术成分的内容,也是与人关系最密切的造型设计。环境设计涉及内装材料、工艺、色彩灯光、空间布置及防火分隔等。船舶舱室是船舶建筑的内部空间。在这些内部空间里,人们通过不同的感官,将看到和感觉到由色彩、光线、声音、材料所构成的环境。这种环境不仅要满足人们对物质功能的要求,还要满足人们精神文明的需要。

船舶舱室按其使用功能分为船舱(机舱、锅炉舱、燃料舱、货舱等)、工作舱(驾驶室、海图室、报务室、理发室、广播室、雷达室、电罗经室、应急发电机室等)、居住舱(船员舱、旅客舱等)、公共舱(卫生处所、饮食处所、娱乐处所等)和战斗舱(指挥中心、弹药库等)。本章重点介绍如何对舱室的内部空间进行设计,以达到完美紧凑、提高工作效率的目的。

第一节 舱室环境设计的目标

“任何设计都不应该是简单的、重复的图形制作运动,它必须建立在新思维的基础之上,其最大目标在于改善人类的工作和生活。”这种改善活动在船上也不例外。在船舶舱室环境的设计中,考虑问题的出发点和最终目的都是为船上的各类人员服务,满足人们生活、生产活动的需要,为人们创造理想的舱室空间环境,使人们感到生活在其中,受到关怀和尊重。

舱室环境设计的目标是运用现有技术材料给人们创造一个舒适、实用、安全、健康和具有审美价值的海上生活环境。设计的重点在于把人与物、物与物、人与人之间的关系重新统筹定位,在常规枯燥的海上生活、工作模式中寻找扩展新空间、新形式的过程。

舱室环境设计追求的是与人的行为相互配合,符合人的需求、情感,它不单向的侧重奢华或简洁,而在于考虑不同人群的需求与寄托,创造海上生活环境的新层面和新内涵。

舱室环境设计的最终目标在于“人”,船上各类人员是设计的主角,一切物化形式都是它的陪衬与依托。在这里安全是路径、合理是追求、便捷是保障、秩序是拓展、个性是区别、环境是依托、品质是目标,而人是主角。

第二节　舱室环境设计的思路与原则

一、舱室环境设计的思路

如何对船舶内部空间进行设计,以达到完美、紧凑、舒适、提高工作效率的目的,是舱室环境工程要解决的首要问题。舱室内部环境的设计又与舱室所要反映的主题思想密切相关。也就是说,舱室内部空间通过环境设计,应表达明确的主题思想,以突出该舱室存在的与功能相符的鲜明性格。实际上这种主题思想和性格是根据各舱室的功能需求,运用正确的审美观点和丰富的物质材料以及各种形体知识来体现的。

就其整体而言,船舶的各类舱室应与全船的外形协调、统一,从内部布置上要朴实大方。但在整体风格协调的同时,又有其个性和各自不同的特点,这就是舱室内部环境设计的明确主题。

船舶舱室环境工程的具体内容包括室内空间处理,即空间尺度的控制、形体分隔等,家具的选材、配色、配置和布置,室内的装饰、装潢、艺术处理以及对空气品质和噪声环境的约束处理等。对应的舱室环境的设计思路如下。

1. 功能定位

对船舶舱室内部环境进行设计之前,首先要明确舱室的功能、作用,或者是舱室的类型、类别。因为船舶舱室内部环境的设计与舱室的类别、舱室所体现的主题思想有很大的关系。也就是说舱室的功能定位对其确定主题风格、空间区划和内部配置具有重要影响。

2. 设计主题及风格定位

在进行船舶舱室的内部设计以前,必须先明确船舶舱室或船舶自身所要体现的设计主题和格调。如会议室应该力求庄重、质朴和大方,餐厅却要求宽敞、明亮、轻快、整洁,俱乐部或其他娱乐场所必须健康、轻松、热烈、活泼、愉快,居住舱则应讲究安静、舒适、亲切,阅览室、休息室要求安静和素雅。总之,在舱室环境的设计过程中,家具布置、色彩运用、灯火照明、装饰工艺等各方面,都应围绕不同舱室的不同主题思想和性格综合考虑、妥善布置。

3. 空间规划布局

对于舱室环境工程而言,是在区划好的船舶区域内进行舱室空间的规划设计,此处的空间规划布局具体包括:舱内设备的配置,明确舱内设备、家具的种类和数量,以基本保证舱室的功能;设备、家具设计,综合舱室具体的空间特征和内部家具、设备的尺度条件,考虑舱室的功能特征和主体风格,进行设备家具的细节化处理和优化布局,以更好地实现舱室的功能,体现舱室的风格。

4. 色彩环境

色彩设计是舱室环境工程的重要环节,有益于舱室功能的实现,并能强化衬托舱室的主体风格。此处色彩环境通过界面处理和家具风格两个环节来确定舱室环节的色彩方案。界面处理，通过地板、地面和顶棚奠定舱室的底色；家具风格，通过家具、设备的质地、配色等调节舱内的整体色调。

5. 光环境

光环境是舱室环境工程的重要组成部分，与舱室的功能、主体风格以及色彩环节密切相关。光环境包括功能照明和光效设计两个方面。其中，功能照明要借助电路的控制，实现不同功能、不同层次的照明环境，在满足相关规范的同时，尽可能地提供适合的照度；光效设计是指在舱内不同的区域设计不同的关照载体，以实现能够保证功能要求，协调主体风格的灯光效果。如办公区域要求明亮通透；卧室要尽量温馨自然，色调柔和。

6. 空气环境

空气环境也是舱室环境工程的重要组成部分，船舶舱室空气环境主要涉及热湿环境、气流环境和空气品质等反面。其中，热湿环境主要考虑夏季和冬季的不同要求；气流环境包含温度梯度、风速以及气流分布等方面；空气品质主要是指依据相关规范对船舶舱室内的 CO_2、CO、甲醛、氨、苯等污染物浓度进行控制。

7. 噪声环境

噪声是影响舱室环境的重要因素，尤其对人的影响较大。不同类型的舱室，对应的噪声等级不同，舱室噪声必须满足相关规范的要求。

舱室环境设计是一个融艺术与技术为一体的创造性活动，任何一个舱室环境的设计和实现过程都离不开技术的贡献，空间的形成，布局的规划、色彩与灯光的构成，家具与陈设的搭配，空气与噪声的控制以及各种细节的处理、材料的使用。这一复杂、烦琐的过程，需要各子系统的融合以及各个专业的协调、配合。

二、舱室环境设计的原则

船舶舱室设计与船舶总体设计、结构设计和机电设计等组成了船舶设计系统，包括了上层建筑的结构和其他方面的设计，这样处理对造船工艺和工程管理等方面是有利的。舱室布置设计也可以说是船舶总体设计的一个方面，它必须服从于船舶总体概念设计，舱室布置设计把每层甲板按照一定的原则，包括总体设计基本原则，结构防火分隔原则，美学原则和舱室设计标准等，结合功能、习惯和总的经济性，把舱室划分为居住区（旅客和船员）、工作区、休息区、公共活动区、卫生区、餐饮区和路线区等。

1. 安全性

舱室设计中着重考虑船舶的结构防火设计。尽量使船体结构和防火结构两者结合起来，完成防火主竖区的水平方向和垂直方向的分隔，也尽量减轻上层建筑的整体质量，保证船舶（特别是客船）具有足够的完整稳性。

2. 合理性

舱室区划是各层舱室甲板平面的总布置设计，包括上层建筑和其他甲板平面上的各类舱室的总体划分，必须体现结构防火的划分。舱室布置是对区划好的各类舱室在满足功能及规划要求的前提下，应用美学原理、布置原则等进行舱室内部家具、设备和陈设的布置。

3. 适用性

适用就是设计中充分考虑其使用要求，并研究如何能有效地发挥舱室的使用功能。适用性是舱室设计中充分考虑其使用要求，并研究如何达到舱室的最佳使用功能。将舱室的形式美和功能佳融于一体，这不仅仅是设计的目的，也是设计的核心。

4. 舒适性

舒适是向往的一个指标。如若适用性是实现物对人的最低价值，那么舒适性可理解为设计的较高层次的标准。而经济目标是现代船舶设计必须严格控制的。这里意味着对舱室布置和空间设计、各类设备的选用配备、舱室结构的防火结构设计等的优化，以达到船舶总体优化设计。船舶舱室设计是一项物与人结合的工作，直接关系到人的生活、工作和健康。设计要以“以人为主，物为人用”为原则，满足人们对舱室工作和居住条件越来越高的要求。

第三节　舱室环境设计的主要内容

船舶舱室环境工程的具体内容一般是指船舶舱室的区划、空间设计，舱室内色彩、灯光、家具、陈设、设备等的设计与布置。船舶舱室设计同船舶的类型、用途、人员数量等有密切的关系。在现代船舶中，舱室环境设计不仅应满足人的生活、学习、工作等物质方面的基本需要，还应满足人们心理、生理和审美观点等精神方面的需要。

船舶舱室内部环境设计在总布置设计阶段进行，它是船舶建筑内部设计中最具艺术成分的内容，也是与人关系最密切的造型设计。环境设计涉及内装材料、工艺、色彩灯光、空间布置及防火分隔等。

船舶舱室是船舶建筑的内部空间。在这些内部空间里，人们通过不同的感官，将看到和感觉到由色彩、光线、声音、材料所构成的环境。这种环境不仅要满足人们对物质功能的要求，还要满足人们的精神文明的需要。船舶舱室内部环境设计主要包括室内空间处理，即空间尺度的控制、形体分割，家具的选材、配色、配置和布置以及室内的装饰、装潢、艺术处理等方面。

一、舱室空间与布局

1. 舱室空间

空间是指某一特定的活动区域。船舶建筑的空间由甲板、舱壁、顶篷、家具和设备组成。构成空间的必要条件是至少具有以下 3 个界面之一：顶界，如天篷、天花板；底界，如甲板、地板；侧界，如围壁、栏杆。

(1)空间的分类

具有三个界面的空间为内部空间,有一个或两个界面的空间为外部空间。例如舱室为内部空间,外走道露天甲板为外部空间。内部空间的分类有固定空间、可变空间、实体空间和虚拟空间。其中,固定空间是指船舶建造时齐备3个界面,并且是难以改变的空间。固定空间又称一次空间。可变空间指建造时缺少某一个界面,完工后可以调整、移动(对固定空间的再划分)而形成的空间。一般缺少的是侧界面,通过室内家具、隔断设备、绿化带改变布局,构成空间。可变空间又称二次空间。实体空间是指3个界面齐全、界面明确的空间。虚拟空间是指两个界面不封闭、界面不明确的空间,如家具分割而形成的空间。

一般舱室的面积和层高均以技术设计规范和人机设计基准为依据,造型设计中视其为不可更改的数值。这里所指的空间设计,实际上是通过各种造型手段变幻空间的视觉形象和分割形式,家具设施的再设计与布置,以达到扩大视觉空间、影响船员和旅客的心理和生理感觉的效果,用以满足和弥补实际空间的压抑和狭窄感。由于实体空间的局限性,设计时不宜选用过高的家具;配色时勿将室内当成调色板,最多采用两种主色调,并且充分利用色彩的视觉效应改变狭窄感。忌在墙面安装钩、架和在顶上吊装物品。

(2)影响空间感的因素及改变方法

人在海上,与陆地隔离并局限于船体内部有限空间中,这一客观物质环境势必引起特殊的心理反应。所谓空间感是指人通过视觉将自身尺度与实际空间尺度进行比较而产生的舱室空间的大小感。船舶为实体空间,由于总布置条件、甲板层高所限,客观上存在以下特点:缺乏水平的地平基线,甲板的各向都由曲线组成;船体内部到处都是不规则墙面,并有许多倾斜面;甲板和天花板面积较大,显得舱壁特别矮,因此有较强的封闭感和压抑感。

除了客观条件之外,空间感的大小还受到下面一些因素的影响。

①空间类型的影响及改变方法

3个界面的实体空间(机舱集控室、厨房以及一些低等级的居住舱室等)不如两个界面的虚拟空间(大面积窗户的驾驶室、观景室等)明亮。由于六面围壁挡住了视线,视野范围局限于本来就不宽阔的实体空间内部,阻碍了人与自然保持接触的本能欲望,心理上产生的空间感是狭小压抑。这类舱室作为工作舱室,可对船员产生不良的心理影响,使船员不能保持愉快、稳定的心理状态,易于疲劳、厌倦。所以,造型处理上,主要通过色彩设计、调整尺度和设备布局来改善此情况。如利用顶、壁、地面的色调,来增大心理上的空间感;利用金属或油漆表面光滑的反光效果,来提高舱室内的亮度,也可以适当扩大视觉感。色彩及装饰处理时,应注意避免横向分割,避免降低视觉高度从而增加压抑感。高大设备尽可能不要居中放置,消除空间的再次分割,以免造成高度对比而增加压抑感。

各种舱室应该尽可能不取封闭形式,可借助玻璃窗、漏窗甚至装饰图,使视线向实际的或虚幻的外界延伸,以增大空间感。

结构上,尽量保证内走廊和舱室围壁处于纵桁下,主通风管装在走道内或者从舱室的两侧纵向贯通,支通风管道则夹在横梁之间,最大限度屏蔽在视线之外。

②人的视觉经验的影响

人类大部分长期生活、居住在陆地上,习惯于陆地建筑内部的空间尺度,往往将自己所熟悉的环境尺度与船舱室尺度进行比较,结果产生了狭小低矮的空间感,设计中,要尽量使室内环境符合人们的正常习惯。具体做法上,可以采取室内陈设和布置的家庭化、生活化设计;运用对比手法,在规范允许的范围内,采用适当小尺寸的家具和器物,与整体空间形成对比,以小巧的家具衬托“宽阔”的室内空间。另外,突出视觉焦点,吸引注意力。例如在较大面积的墙面上装饰精巧、醒目的灯具和装饰画等(图4－1),渲染气氛减少人们对空间具体尺寸的注意力和比较。

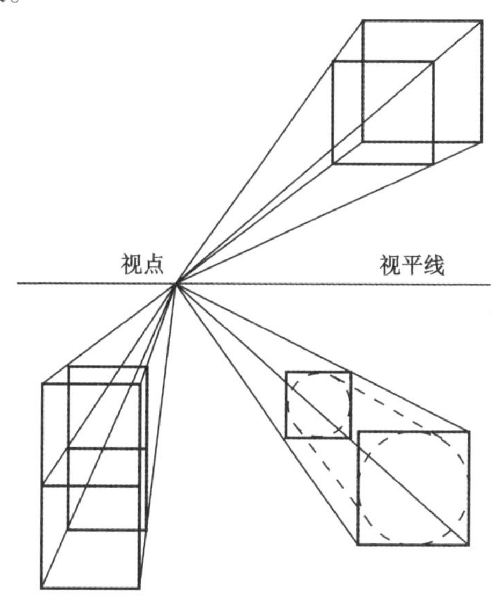

图4－1　焦点作用

③内部环境条件的影响

内部环境条件指舱室内部分割和陈设方式、家具的尺度,以及灯光、色彩配置等客观条件。

利用隔断进行合理的分割,可以调整空间尺度比例,改变空间形式,改善空间感。船上大面积场所,如俱乐部、餐厅、会议室、观景室等,由于甲板间的高度限制,空间显得低矮,产生压抑感。采用虚拟空间的分割创造,例如改变局部的高度,舞厅、歌厅抬高,或降低舞台、舞池,将原有的空间分割成几部分,以产生对比,可以使局部空间感加大。

另外,改变照明方式也可以达到一定效果。图4－2通过顶光照射中心区,使其亮度大大高于周边,形成一块独立的虚拟空间加上四周的单元式家具布置,形成一个个小的虚空间,改变了竖直和水平方向的尺度比,使空间感加大。

图4－2　照明对空间的改变

同样一个空间,由于装修方法、家具尺寸及摆设方案的不同,给人的空间感觉也将不同。如图4-3所示,有6幅舱内侧壁与顶棚的色彩、花纹装饰图。图4-3(a)与图4-3(b)相比,前者顶棚的颜色比侧壁深,因而有空间较低的感觉;反之,顶棚的颜色比侧壁浅则有空间较高的感觉。图4-3(c)与图4-3(d)相比,对侧壁花纹为水平线条者,会有空间较低的感觉;对垂直线条者,会有空间较高的感觉。图4-3(e)与图4-3(f)相比,侧壁花纹大的有迫近感,会有空间较小的感觉;侧壁花纹小的则有延伸感,会有空间较大的感觉。

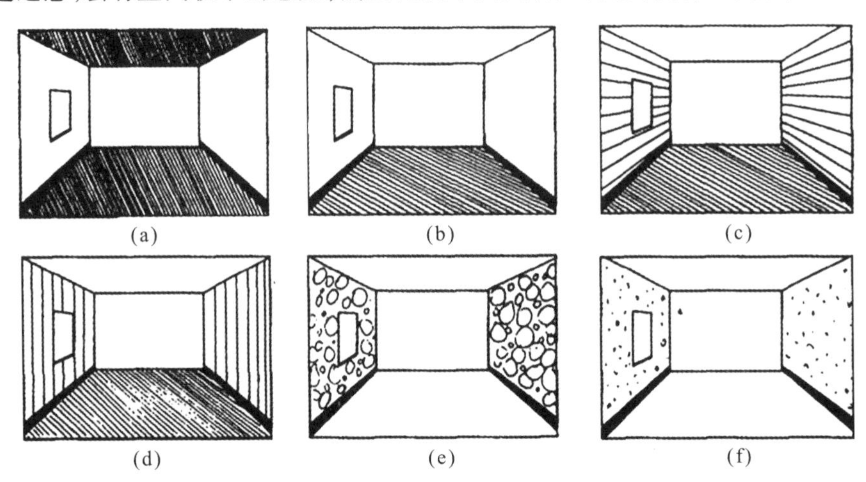

(a) (b) (c)

(d) (e) (f)

图4-3 空间感觉与装饰方法有关

利用材料的质感也可以改变对空间的感觉。装修材料的表面如果质地粗糙,会使人有向前靠的感觉,因而空间也有相应变小的感觉;如果质地光滑,似乎离人较远,从而感到空间扩大,增大了空间感。

灯具的装修方法也十分讲究,装修方法的不同将直接影响到人们的空间感觉。例如吸顶灯、嵌入式顶灯,能使顶棚"上升",有增加空间高度的作用,故可以增强空间感。吊灯,尤其是枝形吊灯,会使顶棚向"下降",有降低空间高度的作用,形成压抑的感觉,从而减弱空间感。

在船舶的居住舱室内,空间一般都较小。为使旅客及船员在空间感觉上不致太压抑和太局限,室内家具包括电器设施的尺寸往往采用比陆上建筑的室内家具要小的尺寸。以求达到舱室的上部空间和周围空间相对的宽阔,增强空间感。

国内外客船、旅游船的设计,是将客舱是否设置专用阳台作为现代高水平设计的一项指标。分析其主要原因,一是通过阳台沟通人与自然的直接联系,满足人们向往自然的欲望;二是营造居家氛围,创造独特的个性特点;三是通过空间变化延伸视觉空间。

此外,利用家具对空间进行隔断,分成虚拟子空间使各个局部之间既独立又相互融合,增加了空间层次,改善了气氛,创造了活力,最终降低了压抑感。图4-4为几种隔断的实例,空透式隔断(玻璃博古架),移动式隔断(顶屏风、帐幕),半壁式隔断(半墙、盆景)。

2. 舱室布置与规范

(1)居住舱室布置与规范

舱室的布置是舱室内部设计中的一项十分重要的内容。它布置的好坏,不仅直接影响人们的工作、生活而且对舱室分隔组织空间、美化舱室环境、创造舒适宜人的气氛也有重大作用。因此,室内陈设的布置在满足基本功能的前提下,还必须遵循形式美的一般原则,形成良好的环境和意境给人以美的感受。

图4-4 隔断的实例

舱室的布置包括家具、织物、工艺品和日用品的布置。家具是一种实用工艺品,它既有使用功能又有美学功能。在使用上,家具除了用于工作、学习、休息和存放衣物之外,还在空间环境中起着分隔空间、组织空间、填补空间的作用,达到增加空间层次、扩大空间感觉、形成多功能空间的目的。

在艺术上,家具本身作为一个审美对象,有其优美的造型。优美的家具外形与布置,可以陶冶人们的精神情趣,形成舱室特定的意境与气氛;家具还反映了民族文化传统。在船舶舱室内,家具的配置应具备以下原则。

①家具的选择和布置一定要符合统一与变化的原则。家具作为整体环境中的一个组成部分,它应该与墙壁、地板、天花板和窗户等协调配合,以确切地反映船舶舱室的不同主题思想。

②在数量上,要根据使用的要求和面积大小而定,根据空间来衡量它的地位,切忌过多过大,阻塞空间。

③在布置家具时要讲究序列,考虑人流路线,力求有较多的活动空间与活动面积。要将室内性质相似、功能相当的家具组织在一起,形成不同的功能角落,以求统一、协调,避免杂乱无章。规则式的布置有明显的对称轴线,显得严肃端庄,多用于会议室、接待室;不规则的布置无明显的轴线,显得自由、活泼,富于变化,常用于休息室、客舱、游戏室、舞厅等。

④在款式上,既要考虑不断翻新与变化,又要讲究实惠、方便,有益于提高经济效益和工作效率。组合家具和多功能的家具逐渐代替单件和单功能的家具已是当前家具款式变化的趋势。

⑤在体量上,家具的造型与尺寸应适合人的体型、生活习惯和不同环境要求,其外形、

结构和尺寸还应具备“船用”的特点。如设置沙发床、壁式床,以及多用途折合式的专门家具。

⑥材料的选用应因时因地制宜,既注意新材料、新工艺的选用,又注意发扬我国的民族风格与国内现有材料之长。根据材料分别采用不锈钢管及铝制家具,木制、竹、藤家具,塑料制品等。

⑦家具的造型、质地、色彩、尺度、比例等要结合舱室的主题思想和船舶总体性格,分别反映出不同的家具风格(比如豪华富丽、端庄典雅、奇特新颖或浓郁的乡土气息等风格)。当前流行于国际上的有中国风格、东方风格、地中海风格、农舍风格和国际风格。我们应认真研究其发展变化,并以空间的用途和性质为依据,以创造美好室内环境为目的,不断学习借鉴和创新。

舱室布置与家具陈设是舱室建筑平面构成的基本内容,是影响室内空间感和造型效果的关键。居住舱室布置应参考有关规范的要求和建议,结合船舶性能,综合设计。室内主要家具、设备的尺寸选取,应符合《船舶起居舱室的尺度协调》(GB/T 7386—2008)中关于家具设备的协调尺寸要求。

船舶起居舱室中,主要舱室设备经常重复出现,设备的长、宽、高可根据需要进行组合。为了避免因横摇而引起的不适,海船床铺最好纵向布置。此外,除少数豪华客船外,铺位均应靠壁布置。其他家具也应尺度协调排列有序,并考虑人们活动路线,以保证尽量大的活动面积。部分家具(尤其是公共场所的家具)可在一定条件下根据舱室要求不同进行组合、编排,以获得满意的视觉效果和与使用目的相协调的气氛。

同时,居住舱室的设计应满足以下规范:

①乘客舱室的净空高度(即自舱室底板上表面量至天花板下表面的垂直距离,若无天花板则为量至横梁下缘的垂直距离)应符合下列规定:

第一、二类大型客船,其乘客舱室的净空高度应不小于2.0 m;设置乙种硬卧的乘客舱室其净空高度应不小于2.8 m;第一、二类中、小型客船和第三、四类大型客船,其乘客舱室的净空高度应不小于1.9 m;第三、四类中、小型客船和第五类客船,其乘客舱室的净空高度应不小于1.85 m;专在小河支流上航行的小型客船,若通过桥孔有困难时,其净空高度可以降低,但应不小于1.8 m。

②床铺方面应满足如下规范:

卧席床铺的净尺度,自床架的内边缘量度应不小于下列规定:

软卧床铺:1.90 m×0.80 m;

硬卧床铺:大型客船1.85 m×0.70 m;

中、小型客船1.80 m×0.60 m。

下层铺离甲板的高度视具体情况而定,下层铺铺面至上层铺下表面,或上层铺铺面至横梁下缘或天花板的距离应不小于0.85 m。如有困难可减至0.8 m。

床铺可沿船舶横向或纵向设置。硬席卧铺的固定床铺可以并列排列,但两床间须用高度不小于0.3 m的木板隔开。

双层铺不应上下错开设置。

双层以上的床铺,应设有为上层铺乘客上下方便而设置的踏脚或直梯。应在上铺床边设有防止人从床上滑跌落地的设施。

③座椅方面应满足如下规范:

每一乘客所占固定软座坐椅椅面的尺度应不小于0.50 m×0.48 m,硬座坐椅椅面的尺度应不小于表4－1的规定。第二、三、四类大型客船的椅面尺度,应符合表4－1(1)第一类客船的规定。

表4－1　硬座坐椅椅面尺度规定

客船类别	硬座坐椅椅面尺度/m		客船类别	硬座坐椅椅面尺度/m	
	宽	深		宽	深
第一类客船	0.45	0.45	第三类客船	0.45	0.40
第二类客船	0.45	0.40	第四类客船	0.40	0.38

坐椅椅背高出椅面的高度,对坐椅同向排列者,应不小于0.45 m;坐椅对面排列者,应不小于0.8 m,第三、四类客船的椅背高度可以不受此限。

椅与椅之间的距离(指净距离,即同向排列时前椅椅背后缘至后椅坐面前缘的水平距离,对向排列为两椅坐面前缘之间的距离)应不小于表4－2的规定。

表4－2　椅间距离规定

客船类别		第一类客船	第二类客船	第三类客船	第四类客船
椅与椅之间的距离/m	对向排列	0.60	0.55	0.50	0.45
	同向排列	0.38	0.38	0.30	0.28

第二、三、四类大型客船的椅间距离,应符合表4－2第一类客船的规定。

(2)通道及狭窄空间的造型处理与规范

总布置设计中,当初步完成了总体布局的区划以后,就要对上层建筑内的各种舱室进行划分,并对其内部进行布置,同时还要规划全船的通道。舱室的布置与通道的布置密切相关。只有当船舱和上层建筑内的各种舱室及通道的划分与布置妥当后,船的总体布局才算基本确定下来。

船上的通道包括人行通道和货物通道,从形式上分有水平通道和垂直通道。人行的水平通道包括内部走廊和外部走道及出入口,垂直通道包括斜梯、直梯和电梯等。货物的垂直通道是指货舱口和舱口盖,水平通道主要是滚装货物的跳板。船上的通道不仅是供人员和物品的通行,还是一种重要的安全设施。

船舶建筑的尺度限制比较严格。由于通道狭长,部分封闭,为保证人流畅通且使人心理感觉比较舒畅,在满足规范的前提下,应精心造型设计,充分运用造型技巧来改善心理感受。

①视觉迁移

在通道侧壁上布置一些简单、抽象、直观的装饰艺术品和标志,以转移人对建筑空间的注意力。如图4－5所示,通道采用一定宽度的顶灯,将狭长的通道分割成几段,缩短了通道的视觉长度;侧壁上有几幅现代画,使单调的大平面壁有了活力;通道尽头,放置了一件摆件,似在召唤通道内的过客。

这里特别说明,侧壁上的装饰物和字画不宜复杂和过多文字说明,也不宜开设服务窗口,以免延长乘客预留时间,阻碍交通。通道尽头不宜布置时间表、导游图等,也不宜安装大面积玻璃镜,以免加长通道的视觉长度。

图 4-5　视觉迁移实例

②镜面效应

在有条件的情况下,通道的顶部和侧壁上部装饰反光材料,通过镜面反射,加大空间的高度和宽度;侧壁上安装美观明亮的系列壁灯,通过排列节奏、亮度的变化,可改善视觉效果。

接近船舶首、尾端,由于船体型线的变化,以及设计梯道和不对称布置形式,会产生一些局部狭小空间和死角。这些部位的有效利用,不但能够提高空间的实际利用率,而且使整个内部建筑体系连贯、协调、统一。图 4-6(a)是楼梯间布置形式,通常楼梯下做小卖部和小型储藏室。按规范,艏、艉端主甲板以下不布置居住舱,这部分空间可设置存放物品、工具的柜子和格架或做库房,但要注意整体感。设计相邻两舱的卫生间时,要注意局部相互依存的整体感,保证舱室环境的统一性。图 4-6(b)是某船卫生间布置的设计图,采用折形舱壁,水池设在凹面内,池下是卫生品柜兼管道布置区域,整个卫生间是个完整的矩形,没有外露的管线,既充分利用了面积,避免了死角,又保证了卫生间的协调和整体感。

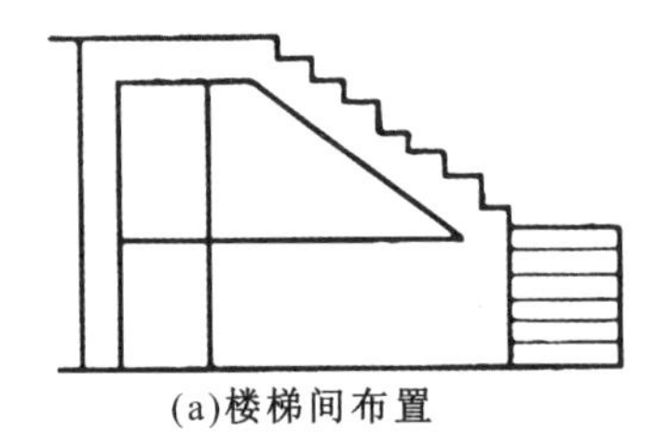

(a)楼梯间布置

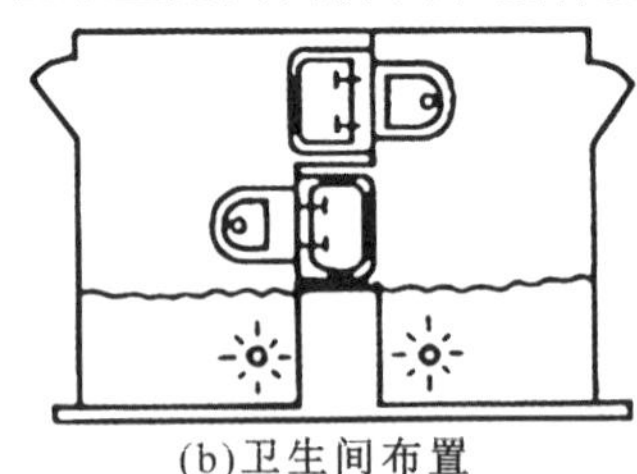

(b)卫生间布置

图 4-6　楼梯间及卫生间布置

(3)通道与出入口相关规范

①床的排列应满足如下规范:

床铺对向排列,沿两床铺间或床铺与舱壁之间的通道应符合下列规定:

通道两边的床铺数不超过 12 个(即 6 个双层床,以下同)。床间通道宽度应不小于 0.6 m。通道两边的床铺数超过 12 个或设 3 层铺。其床间通道宽度应不小于 0.8 m。

床铺沿船舶横向并排排列,通道沿床铺纵向布置。纵向通道宽度应不小于表 4-3 有关纵向内通道的规定。如纵向内通道较宽,允许在纵向通道上设置散席(设帆布躺椅),但应在床铺与帆布躺椅之间留出不小于 1.0 m 宽度的走道。

每一卧席舱室,均应设有便于通向甲板开敞处所的出入口。如舱室出入口仅通向纵向内通道,该纵向内通道的出入口应直接通向甲板开敞处所,或经由横向通道通向两舷开敞处所。

舱壁纵向内通道和横向通道出入口数及宽度,应不小于表 4 -3 的规定。如纵向内通道并不通向甲板开敞处所,仅能由楼梯口通向上层(或下层)甲板的横向通道,然后才能通向甲板开敞处所。此时,该横向通道的宽度及出入口应根据上下两层所包括舱室床铺数的总和按表 4 -3 选取。如纵向内通道的出入口并不直接通向甲板开敞处所,仅能通向其他服务舱室,虽然该服务舱室另有出入口可以通向甲板开敞处所,此时不应认为纵向内通道的出入口是正常出入口,而可认作是应急出口。

表 4 -3　通道的规定

通道	纵向内通道			横向通道				舱室出入口	
	宽度/m	出入口		宽度/m	通道数量	出入口		宽度/m	出入口数量
		宽度/m	数量			宽度/m	数量		
未满 12	—	—	—	—	—	—	—	0.6	1
12 ~ 30	—	—	—	—	—	—	—	0.6	2
30 ~ 100	1.2	1.0	1	1.2	1	0.8	2	—	—
101 ~ 200	1.3	1.0	2	1.1	2	0.8	4	—	—
201 及 201 以上	1.4	1.3	2	1.2	2	1.0	4	—	—

注:表列床铺数当核算舱室出入口时,是指一个舱室内的床铺数;当核算纵向内通道或横向通道时,是指纵向内通道通过的所有各舱室床铺的总和。

②座椅的布置应满足如下规范:

座席舱室内的固定座椅,如沿船舶横向布置,同向或对向排列,舱室内须设置纵向通道。纵向通道的宽度,应不小于 0.7 m。如通道一端不能走通,此宽度可向末端逐渐减少,但末端宽度应不小于 0.5 m。纵向通道的布置数,应满足室内任一座位与通道的距离不超过 2.5 m。通向舷边的横向通道宽度应不小于 0.7 m,如两边或一边座椅面向通道,该通道宽度应不小于 1.0 m。如座椅沿船舶纵向布置,纵向通道宽度应不小于 1.0 m。

③座席舱室通向开敞部分的出入口数应按舱室乘客人数不少于表 4 -4 的规定。

表 4 -4　舱室出入口的规定

舱室内乘客人数	出入口数	出入口宽度/m
50 及 50 以下	1	0.8
51 ~ 100	2	0.8
	1	1.0
101 ~ 150	3	0.8
	2	1.0

表4-4(续)

舱室内乘客人数	出入口数	出入口宽度/m
151~200	3	1.0
	2	1.4
201及201以上	4	1.2
	2	1.6

出入口不应集中于舱室的一舷或一端,应分别布置在舱室的两舷或两端。如舱室的纵向出入口是通向横向通道,然后由横向通道通向两舷开敞部分,该横向通道的出入口宽度,应按与横向通道相连的乘客舱室内乘客人数之和不小于表4-4所规定的出入口宽度,横向通道的宽度应不小于出入口宽度。

(4)公共舱室环境布置及规范

公共舱室环境布置,一般是对建筑艺术性很高、很能吸引人的文化娱乐中心进行设计。它要在有限的空间内尽量满足旅客的要求,丰富、充实航行生活。公共活动舱一般可分为静区、闹区。它们的共同要求是布局生动,流向明确而有变化。

静区(如休息厅会议室、阅览室等)宜布置在次要人流线路上,空间形式和家具、装饰等布置应自然协调。根据功能的不同,可考虑整体布局或分割布局。装饰要简洁清爽,以素雅、柔和为主调。各方面细部应统一于稳、静、朴素与平和。

闹区(如娱乐厅、舞厅、健身厅、儿童游戏室等)在建筑形式上可以采用变化、丰富的结构形式,构成适度的刺激。家具布置灵活多样,但切忌杂乱无章。色彩与装饰可以效仿自然使人产生切合实际的联想,以丰富生活。在光线处理上,宜用较低的亮度,不干扰航行。

服务舱室环境设计应与功能要求相适应。橱窗应简洁整齐,组合应有规律,人员流动应畅通,色彩要协调合理。

根据舱室功能划分,各公共舱室应满足如下规范。

①厨房

厨房应远离厕所、医务室、浴室和盥洗室等处所,应特别注意避免烹调气味透入居住处所。厨房的门应开向开敞甲板,并不应有经过厨房而通向其他舱室的通道。

厨房内炉灶的烟道,应用绝热和防火敷料包扎,包扎至露天甲板,烟道上应装有开口盖,以便清洁烟道。厨房的顶部和四周如需与相邻舱室绝热,其绝热物必须以不燃材料制成。用固体做燃料的炉灶,所在厨房可以不受此限。

若炉灶设于舱壁处,则炉灶与舱壁之间距离至少应为150 mm,且舱壁上要敷设一定厚度的绝热敷料,外包镀锌铁皮,该绝热敷料应比炉灶的投影外缘扩大200~300 mm。用固体做燃料的炉灶,在舱壁上须敷设绝热敷料,厚度可适当减薄。厨房内的地板应敷以水泥或防滑瓷砖。

②餐厅

在第一类大型客船应设有供乘客专用的餐厅。餐厅总面积应按同时供25%乘客进餐所需,每一乘客占有的地板面积不小于0.6 m^2,餐厅的洗涤室与餐具室面积,不应包括在餐厅总面积内。在其他客船上,可根据实际情况与需要设置餐厅。

③粮食库、食物库和小卖部

供应膳食的客船,应根据需要设置足够数量的粮食库或粮食柜。粮食库和食物库应设置于出入方便的位置,其出入口不应设置在靠近厕所、医务室、浴室及盥洗室等出入口附近,且不应邻近温度较高的舱室。

粮食库应有保证使粮食干燥不致发霉或变质的有效措施。储藏易腐烂事物的仓库应设有冷藏设备,冷藏库内应设有供偶然被关在库内的人员呼救用的报警装置。粮食库和食物库应保持干燥,并有隔热绝缘设置。舱壁应为水密,舱内应设有木柜或架子。

客船上的小卖部应设在乘客易到达的处所,不应设在厕所、医务室、浴室、盥洗间等出入口附近。粮食库、食物库和小卖部,应设有防止老鼠潜入的装置。

④盥洗室

第一、二类的大、中型客船应设置乘客公共盥洗室,乘客的公共盥洗室应与船员盥洗室分开设置。

供乘客使用的公共盥洗室的水龙头数目,应不小于下列规定:

第一类大型客船:当乘客不超过 100 人时,以每 20 人一副水龙头计算。当乘客在 100 人以上时按下式计算:

$$\text{水龙头数目} = 5 + \frac{N - 100}{30} \tag{4-1}$$

式中　N——乘客总人数,如单独的舱室内设有专用盥洗盆,该舱室的乘客人数可不计入乘客总人数内。

第一类中型客船和第二类客船,按式(4-1)计算所得之值的 1/2 配备水龙头。

第三类客船,当设有固定卧席时,应根据固定卧席乘客人数按第一类大型客船的规定配备盥洗水龙头或配设盥洗盆。

不设固定卧席的第三类客船和第四类大、中型客船至少应不少于一副水龙头供便后使用。除此之外,每副水龙头应能调整冷热供水。

公共盥洗室中,每副水龙头的间距不应小于 0.6 m。公共使用的盥洗盆和单独的盥洗盆的污水应由单独水管或经污水舱排出舷外。公共盥洗室内应特别注意设置足够数量的泄水管或加大泄水管的直径,以保证地面不积水。

公共盥洗室中的地板与墙壁,在 1.25 m 高度内应覆有或镶有水密材料,地面上应铺有木格板或敷设防滑瓷砖。盥洗室中污水应由专门的管系排出,如管系室内水龙头超过 10 副时,盥洗室应有两个出入口,且其中一个应尽可能通向内通道。在公共盥洗室内设有镜子、挂帽钩、梳妆架、洗具架以方便乘客。大、中型客船的公共盥洗室应与公共厕所分开设置。

⑤厕所

客船应根据客位分布情况,设置供乘客使用的厕所。设置的大便器数应不小于按下式计算所得之值:

$$n = \frac{N}{K} \tag{4-2}$$

式中　N——船上乘客总人数;

　　　K——由表 4-5 选取。

表 4-5　K 值选取

客船类别	第一类客船	第二类客船	第三类客船	第四类客船
K	40	60	100	200

注:①当 n 小于 1 时,取 n 等于 1。

②软卧舱室应设有专用厕所,该舱室乘客人数可以不计入式(4-2)乘客总人数中。

③第五类客船可以免设。

各类客船的厕所均应男女分设,并应有明显的铭牌。如未分设,应该是单独地在内可以关闭的厕所。乘客厕所应与船员厕所分别设置,如设置船员厕所有困难,可以与乘客厕所合并,但计算大便器数时应包括船员人数在内。

厕所中大便器数目在两个以上时,应有隔板隔开。男厕所内应设置小便器或小便槽池。

各层甲板上的厕所,应尽可能布置在同一垂直线上,在任何情况下,不应设置在居住舱室、餐厅、厨房、粮食舱和小卖部的上面。同时也应尽可能远离厨房、粮食舱的出入口。如设置在居住舱室上面无法避免时,应有防止管路阻塞渗漏的措施。

厕所的地板及围壁应为钢质,其相邻舱室的隔壁应为水密舱壁,地板及围壁在不少于 1.25 m 的高度内,应敷设瓷砖、水泥,或覆以不锈金属,在地板上应有排水孔,且地板应向排水孔倾斜。对于小型客船敷设瓷砖、水泥的高度可减为 0.25 m。

⑥公共浴室

第一类大型客船上,应设有淋浴设备,淋浴喷头数应按乘客总人数以不少于每 40 人设置一个计算,并至少有男女分设的淋浴喷头各一个。如舱室设有专用浴室,该舱室的乘客人数可不计入乘客总人数内。

每个单独淋浴室的面积,应不小于 0.8 m^2,如兼有更衣室,应另加 0.8 m^2 面积,当浴室内设置几个淋浴喷头,每个淋浴喷头应以钢质或不透水的隔板分隔成单间,其面积应该不小于 0.8 m^2,浴室内应设有存衣柜。

浴室的天花板及舱壁板应涂以鲜明的油漆,在整个地板与室壁高度的 1.25 m 内,应敷设水密材料,且在地板上应设有排水孔及污水管,排水孔及污水管的截面积,应不小于浴室内淋浴水管截面积总和的 3 倍,且地板应向排水口倾斜,如浴室与乘客舱室或船员居住舱室相邻,其舱壁应为双层,夹层中间填以绝缘材料。

⑦医务处所

第一类大型客船应设有能急救和治疗常见病的医务室,医务室最好设置在上甲板以上,但不应与乘客或船员的居住舱室直接相通。其他各类客船如无医务室,至少应备有保健药箱一个。

二、舱室色彩与灯光

1. 舱室色彩

(1)色彩功能与特点

造型与色彩是构成船舶建筑艺术的两大要素,二者相互依存。造型即空间形式塑造,它构成船舶躯体，舱室界面。色彩则是外衣，装饰其表面。就现代船舶设计而言，所有造型设计要素被本质性的机能所决定，造型由烦琐趋向简化，代之而起的是色彩由简单趋向丰富，船舶造型设计把从纯造型时代为主导演变为以色彩为主导的设计。许多设计者把色彩称作“最经济的奢侈品”，即通过最佳色彩设计，同样可以用普通材料创造出装饰豪华的室内环境气氛。

①船舶色彩功能

船舶色彩功能是船舶外装色彩与内装色彩的综合表现。船舶色彩具有美学和使用双重功能，一方面可以表现美感效果，另一方面可以加强环境效用。船舶色彩的主要功能有以下几点：

a. 表现性格

色彩是一种象征性的形式媒介。现代旅游客船外装色彩大多选择高明度、低彩度色彩。上层建筑选择白色为主体色，因为船舶航行在海洋上，人们从远处观望，白色的船身与蓝色背景的海洋和天空形成对比效果，既有协调性，又有注目性。

从内装色彩看，根据不同的舱室功能，应用不同色彩塑造不同舱室形象，表现不同性格。原则上把色彩划分为积极色彩、中性色彩和消极色彩 3 部分。舱室色彩必须根据这些心理因素，最大限度地满足人们对色彩的偏爱，并反映船东的性格特点。

对于不同舱室，可应用色彩表现塑造其性格，尤其是公共活动舱室，多采用积极色彩，塑造性格鲜明的活动环境。当然，色彩的象征并无理论上的绝对性或必要性，除了必须根据观念、情感和想象力等概念因素，以及性别、年龄、职业和教育等实际因素外，同时必须注意时代、地域、民族的差异等综合条件，才能在环境性格的表现上获得正面积极的效果。

b. 调节气氛

色彩对于调节气氛、活跃情绪具有直接而强烈的影响。在原则上，动态环境（公共娱乐场所）选择积极色彩；静态环境（居住舱室）选择消极色彩。其中积极色彩表现以暖色、高明度和高彩度为主。暖色具有兴奋作用，高明度具有开朗性质，高彩度具有刺激效能。消极色彩表现以冷色、低亮度、低彩度为主。冷色具有镇定作用，低亮度具有安定性质，低彩度具有沉静效能。从色彩搭配上，单纯统一色彩适于静态私密空间，表现为温柔、抒情；鲜明对比色彩适于动态群体空间，表现为强烈、主动。

c. 调节光照

船舶舱室窗口朝向有内外之分，舱室光线强弱也不同，因为色彩明度不同对光线的反射率不同，所以可以通过色彩明度来调节光照效果。为加强舱室明视性，必须注意室内光线调节。

通过色相调节光照按反射率从小到大顺序是黄、黄绿、黄红、红、绿、紫、红紫、蓝、蓝绿、蓝紫，但调节能力较弱。通过彩度调节光照，原则上彩度愈高反射率愈大，但必须与明度相配合，才能决定反射性能。而且，由于彩度的刺激性强，居室多数采用中低度以下色彩。

对于自然采光系统，由于各舱室光线射入量、射入方向不同，光线调节主要原则是调节色彩反射率，以调节光线对于视觉和心里的刺激。一般来说，窗口内向型舱室趋向沉闷与阴暗，采用暖色时，可以使光线转为明快。相反，窗口外向型舱室以采用明调中性色或冷色为宜。

d. 调整空间

色彩由于本身性质与所引起的错觉作用，对于室内空间具有面积或体积的调整作用，舱室空间特别狭小，调整时采用后退性色彩家具，设备宜用收缩性色彩或单纯统一色彩。同时，色彩又具有质量感的特性，所以天花板应采用较轻的上浮色，地板应采用较重的下沉色，还必须使天花板与地板色彩单纯，而不应变化太大。

e. 调节温度感觉

色彩具有调节温度感觉的效能，因而必须使舱室色彩适应地域性不同气候的特点。原则上，寒冷地区船舶舱室色彩应以暖色调为主，明度宜略低，彩度应偏高；温暖地区船舶舱室应以冷色调为主，明度宜较高，彩度宜偏低。另一方面亦可将背景色处理成中性色调，变换不同色调，以适应季节变化的需要。

②色彩的特点

外装色彩的特点：注目性，作为水上运输工具，船舶必须有鲜明的对比，且引人注目；协调性，船舶色彩与海洋、天空色彩应保持协调，形成美感；轻快性，船舶是浮动在水上的建筑，明度高，质量感轻；快速性，船舶处于运动中，船舶色彩条纹应采用水平方向以体现速度感；时代性，船舶风格具有鲜明的时代性，色彩占主导地位，现代船舶多采用明快色调；标志性，船舶是国家、公司能力与水平的表征，因此通过色彩文字涂写，就可以预知该船国别及航运公司。

内装色彩的特点：功能性，内装色彩与舱室功能密切相关；民族性，不同民族有不同的喜好色；时代性，不同时代有不同的风格，也有不同的流行色。

(2)船舶安全色

船舶舱室是特殊的建筑环境，空间狭小，人员相对拥挤；管道电路纵横，火灾隐患随处存在，所以采取必要的安全措施，是造船规范的一项严格要求。所谓安全色，就是在这一认识基础上，利用色光与颜色引起人们注意和产生心理联想的效应，来警示人们，以保障正常的工作和生活。

船舶内部各安全通口、防火装置、逃生口和有安全目的的指示与指令性标志，都要使用符合国际和国家标准规定的安全色。容易产生危险事物的部位、部件，如起重设备吊钩和某些尖角、突出部分及可能诱发危险的地方都应相应的使用安全色。船上管道识别色、环形标码色和各种设备均应按照不同性质根据 GB248 - 78 进行色彩管理区别。

另外，对桅、吊杆、烟囱等高大突出的建筑和构件分割用色时，要注意与安全色及其标志有一定区别，如黑黄、红白、蓝白、绿白相间的条纹一般不宜采用。还有，要熟悉一般国际港口通用各种标志航标和信号的色彩标准，以免造成用色混淆引起误会。

(3)舱室色彩的构成

在舱室环境中，空间内部的所有陈设包含了各种类型与颜色的物品和构件(合称物件)。从色彩设计的角度来看，可将组成室内色彩的物件归结为以下 4 类：

①室内建筑构件，包括地板、天棚、墙壁、柱列、屏罩、门窗、楼梯、走廊等；

②室内设备，包括各类家具、机具、设备设施、管(线)路系统等；

③室内陈列品，包括各类工艺品、灯具、琴棋书画、器皿、盆景、壁挂等；

④室内纺织品，包括地毯、窗帘、帷幔、床罩、台布、靠垫、坐垫等。

这 4 类色彩物件各自有着不同的形体、尺度、纹饰、材料和质地。在舱室空间可形成不同空间位置、不同面积、不同状态和不同质地光泽的色彩大汇合，它们往往还相互渗透、交融成组合体。如家具与舱壁形成家具壁、画面与壁画、形成壁画、纺织品与家具的一体化形成软家具、壁面与染织品的一体化成为墙纸与墙布。

那么在舱室环境中，究竟哪类物件是构成色彩的主体呢？这不能简单地定论，而要由各舱室本身的功能与主题思想来决定。如居住舱室，可能由大面积的家具或大面积的纺织品构成色彩的主体；而在大型公共活动舱室，建筑构件的色彩往往上升为主体；对于像机舱类的工作室机械及设备的涂饰，很可能成为引人注目的主要色彩。除此以外，光照——日光、各类灯光、室内环境的反射光等都参与了室内色彩环境的构成。因此室内色彩的协调，不仅要考虑各类物件自身的协调，还要考虑各类物件之间的总体协调。

(4)舱室色彩的分类

①背景色与物体色

在舱室内存在着各种各样的背景色和物体色，以及由这两者形成的组合色，如墙壁、地板、门窗、床柜、桌椅、沙发、壁灯、壁挂、陈列品、靠垫等，它们自身所具有的色彩为物体色。

相对门窗、床、桌椅、沙发、壁灯、壁挂而言，墙壁和地板的色彩为背景色。相对靠垫、陈列品而言，沙发和陈列柜的色彩则变为背景色。背景色与物体色常呈现出多重组合，如墙壁、陈列柜、列品，地板、地毯、沙发、靠垫，形成多层次的复合背景。

②主导色、调节色和重点色

在用三色相组合色彩的设计中，室内的色彩一般可分为主导色(或称基调色)、调节色和重点色。

主导色反映室内主题思想，是形成色彩协调的主要而又基本的组成部分。恰当地运用调节色或重点色，往往能产生鲜明的色彩对比，使色彩统一而又有变化，协调又不致单调。同时，正确地协调好背景色、物体色、主导色和重点色之间的关系，将有助于突出空间的主从关系、隐显关系，也有助于表现空间的整体感协调感、深远感、体积感、浮雕感。

天棚、墙壁、地板是室内的空间界面，通常作为背景色的涂饰面，有时也选作主导色的涂饰面，但不排斥为了强调某个墙面色彩而饰以重点色。当大面积的纺织品和大面积家具的物体色成为室内色彩主题时，这些物体色也可作为主导色纳入室内色彩的设计体系。但要注意，主导色要有广泛适应性，以便陪衬不同色调的物体色或重点色。

③固有色和条件色

若将室内的建筑构件、家具、设备、陈列品、纺织品等单独置于日光之下，则它们都能反映物体本身的固有色彩，这种色彩称之为固有色。一般来说，这些物体若放置在室内空间时，它们不仅带着本身的固有色，而且受到不同光照和光的反射的作用，在各种环境色的陪衬下，还必然会呈现出复杂的条件色。也就是说，在许多制约条件下，原固有色经变化所呈现的色彩称为条件色。因此，室内环境色彩的协调既涉及挑选各类物体固有色的问题，又涉及各类物体的组合所带来的条件色的问题。

选择固有色时，因为室内尺度比起所设计的图纸来要大许多，必须谨慎地考虑色彩的“面积效应”。所谓色彩的“面积效应”，是指设计图上的色块一旦放大到实物上，因面积的增大会加强色彩感，看上去彩度、明度都将增强而觉得色彩更鲜艳。这是室内色彩协调中不可忽视的一个主要问题。

选择条件色时，要注意以下两点。

a. 对于色彩，具有“同时对比”与“连续对比”现象

所谓“同时对比”，是指视线同时接触相邻的不同物体色与背景色时所产生色相上的“补色效应”，即物体色将会向背景色的补色方向变化而形成明度、彩度的增高或降低。所谓“连续对比”，是指眼睛长久注视某色块后再移向其他色块时的视觉流动而形成的色彩

对比。

b. 注意室内光源的显色性

室内各物件的色彩由于光源照射、室内外环境反射光的作用，形成物体色与光色的混合，引起色相、明度、彩度的变化。如在高压汞灯的作用下，室内的粉红色变成紫色，蓝色变为蓝紫色。因此，在对室内光源设计时，对变色视觉要求高的必须选用显色指数较高的光源，避免色彩的失真。对于某些特定的室内环境也可以有意地利用某些光源使室内色彩产生良性失真。目前，国际照明委员会（CIE）正在研究这种使物体真实色彩转换成人们喜欢的色彩的光源“喜爱指数”，并设计出各种荧光灯，照在人脸上，看起来更加红润健康，照在肉食上显得更加新鲜。不仅如此，在选择室内背景色、基调色和白昼窗帘时也应考虑它们的反光透光作用。

（5）舱室色彩的选择

用色彩来装饰船舶建筑是21世纪以来逐渐形成的一种美化方法。对船舶舱室内部，设计者做不同的色彩处理，以形成不同的色彩空间环境。这些空间的色彩环境将使舱室内部各个部分清清楚楚，极易辨认出各个舱室空间及它们之间的联系，使人们心中形成特有记忆。但舱室内部色彩的选择，不只是建筑物本身的色彩选择，还应包括室内所有设备的色彩选择。因此整个内部空间的用色，必须根据舱室的使用功能，所表达的主题思想，人们的生活习惯和整个的环境气氛等加以选择，而不宜定出统一的规格。同时，各个舱室之间的色彩还须适当调节，色彩的选用必须与舱室内部布置家具造型艺术等相互联系起来相互配合。总之，各部分色彩相配要做到协调、实用、美观，使人感觉舒服。

下面结合船舶建筑各舱室，依据部分船舶选择色彩的方案，具体地提出一些选择建议。

①居住舱室

舱室壁面以明调浅色者为多，常用的有白色、浅黄、浅绿、浅蓝，亦有用蟹青和淡紫的。地板色彩应以耐脏为主，而且比舱室壁面用色要深，以形成重心低、有稳定感的效果，故除了拼花地板以外，常用绿、蓝、紫、赭等较深的颜色做成的塑料地板或油地毡，一般不宜用大红或鲜红。在高级舱室内还应考虑选用深色地毯。天花板色彩一般选用比舱室壁面还要浅的颜色，以便扩大室内的空间感，消除压抑感。考虑到光线的反射，常用白色，亦有用浅灰色或浅黄色。家具的色彩应特别注意与整个舱室的色调协调。沙发面的色彩不宜与地毯一致，以免显得呆板、单调。如在深绿色的地板上配衬绿色的沙发面会显得气氛单调，若改用奶黄色则效果较好。窗帘的色彩应与壁面的色彩协调，一般选用比壁面稍深的色泽，但不宜过深。如淡绿壁面衬以大红窗帘就不适宜，若改用橄榄绿就好。

②工作舱室

机舱内温度较高，噪声大、采光差，因此舱壁颜色应以清净、冷色为宜，故机舱内用青色素，而机舱棚用白色较好。驾驶室内壁多采用浅色调，但也有习惯用本色清漆及深褐色的。海图室一般采用暖色系。无线电室采用青绿色系，使之有沉静感。假如无线电室较为狭长，若采用冷色有阴郁之感，这时可改用暖色系。

③公共舱室

俱乐部、娱乐室要求轻松愉快，热闹活跃，适于用浅暖色。阅览室、休息室要求安静雅致，常用浅色色调，浅蓝、淡黄均可。会议室要求庄重大方，宽敞舒畅，采用中腊克壁面为好。厨房、配餐厅、洗衣室等处，采用青色系较多。餐厅用色必须能增进食欲，有人提议用绿色和白色作为餐厅的主调，以形成清爽新鲜、美观、令人愉快的气氛。

④其他部分

甲板部分应采用光线反射率较小的颜色，以免影响驾驶，但不可用黑色，它吸热较快，会使人不舒服，起货时还易发生事故。船舶上所有的设备，根据各自不同的性质，可用不同的颜色做标志，使操作、管理和维修都很方便。

2. 舱室灯光

船舶内部的天然采光是极不理想的。主船体由于有水密要求，只能设置透光面积较小而且数量有限的舷窗，白天舱内光线昏暗，不得不依靠灯光照明来补充。上层建筑则要好一些，但与陆上建筑相比，采光窗小，采光效果差，尤其是部分远离舷侧的中部舱室，没有面向外部空间的壁面，无法使窗获得天然光照。

船上的人工照明，由于受到船舶电站功率的限制，无法按照陆上照明设计的标准进行。在紧急情况下的应急弱视照明，通常由蓄电池和应急电站供应，供电量有限，光照条件也不理想。

如何从人的视觉特性出发，合理设计光环境，改善船内光环境条件，也是改善船舶适居性、提高工作效率的重要方面。

舱室内光照环境分为天然采光和人工照明两种。

(1)天然采光

窗的设计主要用来采光，有时兼备眺望、自然通风的功能。在大、中型船舶上，还要求公共舱、居住舱、办公舱室等人员逗留场所的窗兼作应急逃生口。从上述功能要求看，窗面积愈大愈好。然而，窗太大，取暖空调的能耗势必大，航行于热带或严寒地区的船，尤其应注意这点。设在干舷甲板以下船壳上及封闭上层建筑内的舷窗还应保证水密和结构坚固的要求，规范对舷窗的大小也有规定。这里主要从采光的角度讨论窗的设置问题。

①窗的类型

如图 4－7 所示，船上的窗按其设置部位、形式结构、材料和功能等有多种分类。

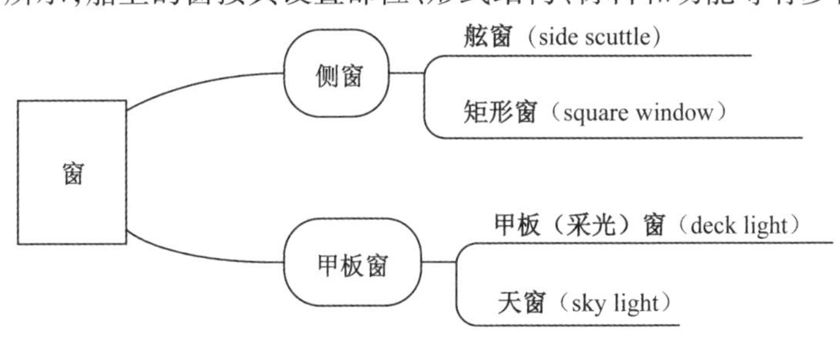

图 4－7　船用窗的种类

舷窗有固定式和活动式两种，前者不能开启，后者可开启，按水密承压能力分重型、普通型和轻型。在水密区域里的窗，设有防爆盖，这样的窗在风暴天气时无法保持采光。舷窗为圆形，规格以透光玻璃直径表示，通常有 200 mm、250 mm、300 mm、350 mm、400 mm 几种，视船大小(肋距)选用，兼作逃生口者必须在 350 mm 以上。从采光角度看，窗数量愈多、直径愈大愈好，但往往受限制。

矩形窗用于无水密要求的上层建筑内，透光尺寸愈大承压愈低。

甲板采光窗与甲板齐平，透光面用棱形玻璃，使甲板下的空间接受的不是直照阳光，而是均匀柔和的散射光，通常作为公共舱、通道等顶部采光用。

天窗窗盖可开启，盖上圆形或矩形透光玻璃，除采光外还兼作自然通风之用，一般在机舱、炉舱、厨房或小船舱室顶上设置。

上层建筑或甲板室内设窗往往受结构强度限制。各区域舷窗设置要求见表4－5。

表4－5　各区域舷窗设置要求

舷窗位置	设窗区域	舷窗急防爆盖			窗功用
		窗形式	窗盖形式	航行中窗关闭情况	
干舷甲板以下船壳	在载重水线以上至 $\delta\triangle_1 = B/40$ 水线	固定式重型窗	水密铰链式	永久关闭	仅采光用
	在 $\delta\triangle_1 = B/40$ 水线以上至 $\delta\triangle_2 = B/40 + 1.4$ 水线	活动式重型窗	同上	关闭，加锁（港内可开）	同上
	在 $\delta\triangle_2 = B/40 + 1.4$ 水线以上至 $\delta\triangle_3 = B/40 + 3.7$ 水线	活动式普通型窗	同上	关闭，加锁，船长允许可开	同上
	在 $\delta\triangle_3 = B/40 + 3.7$ 水线以上至干舷甲板边线		水密可移动盖	关闭，可开	同上
围壁上层建筑	前、后壁和侧壁	同上	水密有窗盖	关闭	同上
其他上层建筑和甲板室	同上	活动式轻型窗	无窗盖	可开	采光可兼自然通风

窗形及其位置排列的设计必须注意：a. 窗户的采光面积以及窗户的数目应根据室内光照所需而定。b. 当窗户横向排列时，从船舶结构的功能条件出发，应尽可能少地切断横向肋骨，以免影响船舶局部强度。c. 不同形状的窗户给人以不同的情感气氛。必须结合总体外形及舱室主题思想给予合适地选择。例如水平方窗可以使人感到舒展、开阔；垂直方窗可以取得条屏挂幅式的景观，扩大了实面的面积；圆形的水密舷窗，在海轮中给人以封闭、稳定和安全感；大型落地窗在小型的旅游客船中可以获得亲切的感觉，以及从舱室向外延伸与室外紧密联系的感觉；前倾的矩形窗给人一种运动感，适于在内河快速客轮和游艇上使用。透过天窗，可以看到天光云影，并提供时光信息，消除了置身于六面体盒子结构中的窒息感觉；至于在游船的公共舱室中的各种漏窗、花格窗，由于光彩交织，似透非透，虚实对比，投射到舱壁地面上的更是变化多端、生动活泼。

②窗的配备

一般船员舱设一扇窗，高级船员起居室设两扇窗的较多。餐厅、吸烟室等公用舱室视外壁的地位设2～4扇窗。若结构强度不受限制，则界线以下的人员居住舱应设采光舷窗，只是数量应减到最少。

舷窗，小船一般用300 mm，最小250 mm，大、中型船多用350 mm以上。方窗，同样根据肋骨间距大小配合适的窗，另考虑水密承压要求。在上层建筑内的一般舱室之窗，大规格的窗用于要求视野广阔的驾驶室。

③窗的布置

窗的设置和布局对室内采光、舱室布置及船的外观都关系极大。

首先,窗布局应有利于室内较合理而均匀地采光。天然光照度沿室进深的分布如图4－8所示,近窗口处照度高,室中已降低很多,到室内进深尽头已极弱。因此,若舱室相邻两壁都是外壁时,同时在两壁上都开窗,并偏离于两壁交角,利于整个室内照度的均布。实际上相对两壁开窗能使光分布较为理想,但船上除大厅室或统舱外,一般空舱或居室这样设置的可能性较小,而且相邻两壁都能开窗的舱室也不多。当窗子仅能一侧布置时,一扇窗最好在室长中部;若两扇窗时则应适当拉开,使两侧也能有一定光照。

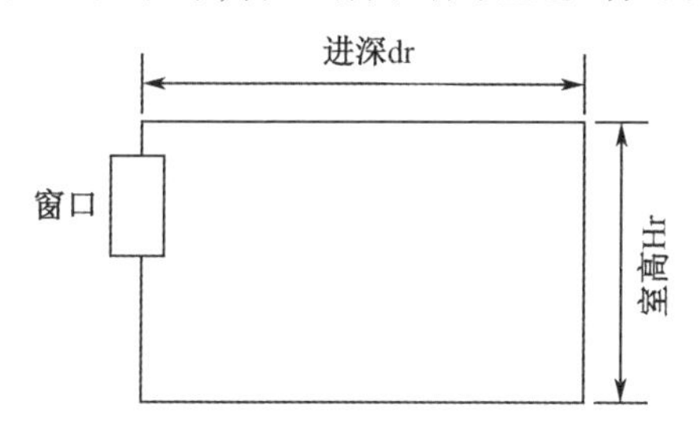

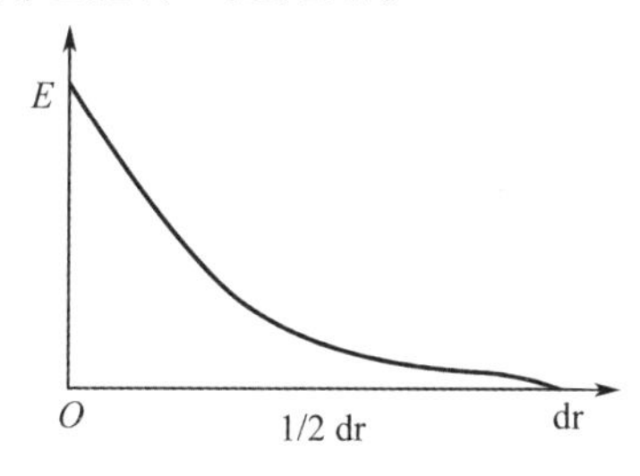

图4－8　日光照度沿室进深分布

其次应配合室内的布置。窗口附近的照度较高,一般总是把需要光照条件好的家具(如写字台)布置在靠窗处。有时室内布置难以变更时,也可适当移动窗的位置,以便照顾部分采光的需要。

最后还应审视全船门窗的设置对船外观美的影响,每一层甲板的窗大小、高低、形式要尽可能统一,窗高连线应平行于弧线,使窗的间隔分布富有韵律感。

人站立时,眼睛高度范围为1 300～1 700 mm。一般舱室窗的中心线高度可以设在1 500 mm或1 650 mm处,游览船要求坐在座位上也能观赏外景,此种情况除外。

(2)人工照明

舱室人工照明按不同功能可分为舱室照明(一般分为明视照明和艺术照明)和应急照明。舱室设计所关注的是舱室照明,主要关注在明视照明下室内照度是否充分,视感是否舒适。而艺术照明在船上,特别是客船上,已成为美化环境所不可忽视的手段之一。

应急照明涉及船舶遇难时人员安全逃生的问题,因此应急照明的设计还应充分考虑到逃生路线及登艇场所等。

人工照明与自然采光不同。自然光线的光谱中光色是固定的,由红、橙、黄、绿、蓝、紫等色彩组成。人工照明光的冷暖、强弱,光的色相均可以随需要而选取,随时间而变化。倘若配之以色彩的感情象征意义,则在室内可以创造出丰富多变的光照环境。然而,在船舶舱室中不可能像城市建筑那样广泛地运用人工照明去创造室内的环境气氛,但是某些陆上建筑的室内光照环境的设计方法还是可以借鉴和学习的。

①舱室照明

a. 电光源

人工照明采用的电光源有白炽灯、荧光灯、高压汞灯和高压钠灯等,船舶舱室照明常用的电光源为白炽灯和荧光灯。白炽灯依靠灯丝加热后辐射发光,呈暖色调,显色性较好,但光效低，有效寿命短。由于启动迅速，直接接电源无须附件，故船上使用较多，特别是启闭频繁处及应急照明使用。另一种是反射型白炽灯，即在玻壳内表面镀金属形成反射面，能聚光或反光，用于室内或露天甲板作为投射照明。

荧光灯是气体放电发光的光源。由于其光效比白炽灯高3~5倍，且寿命较长，已广泛用作舱室和通道照明。然而，不足之处是，在荧光灯照亮下，物色失真，人脸色呈青灰色。因此，用于人际活动的公共舱是不理想的。

荧光灯大约有4类：冷光型荧光灯；日光型荧光灯；暖白光型荧光灯；新型三基色窄带荧光灯。对照人或暖色调的舱室用暖白光荧光灯或白炽灯较好，冷色调舱室用冷光荧光灯较佳，而要强调视觉清晰时用日光型为宜。新型三基色窄带荧光灯的灯管比普通荧光灯灯管细，最大的特点是光效高和显色性好。

另外，常用的还有几种节能小型荧光灯，如H型、U型、双D型荧光灯。这类灯的特点是色温接近白炽，显色性好，光效为白炽灯的4~6倍，寿命为白炽灯的5倍，启动和镇流附件组装成一体，可像白炽灯泡那样插在普通灯座上使用。但目前生产的这类灯功率较小，不宜做大面积的舱室照明，但可用于台灯、床头灯、梳洗灯等局部照明。

b. 照明灯具

照明灯具是指灯与灯罩的组合。灯罩的作用除保护灯泡、遮挡光源眩光和用来装饰外，更重要的在于控制配光，提高光通利用率。

灯具类型按安装方式分为吊灯、吸顶灯、嵌入式灯、壁灯、落地灯、台灯等，其中船上受层高限制，吊灯使用不多。舱室的一般照明多用吸顶灯、嵌入式灯、台灯等。壁灯、台灯、落地灯仅用作局部照明，兼装饰和调节环境气氛。嵌入式灯大都结合室顶结构构成艺术照明。

c. 照明装置

以灯光与舱室内结构和家具组合的照明方式，将光源隐蔽在构件中即成为照明装置。其发出的光照度均匀，光线柔和，无眩光和带阴影的光带、光环或光面，并将光扩散到室内各处，从而改善光环境。

船上常用的照明装置有反光顶棚、反光柱、反光梁等反光式照明装置，以及发光带、反光槽之类的透光照明装置。

反光顶棚在船上一些公共舱室用得较多，灯隐装在四周檐槽内，光照亮整个顶棚再反射到室内，光线淡雅柔和，可形成和谐平静气氛。室内大面积亮顶犹如头顶天空，有自然光感，光环境效果极佳。槽光灯布置合理可以比用单个筒接灯具效率高，缺点是容易积灰。采用这种照明装置时，应注意光源的绝对隐蔽，不可被视见；提高顶棚反光系数；灯具布置要避免产生明暗不均的亮斑。灯具布置还与顶棚高度及顶棚大小有关。当舱室大而室顶空间有限时，可分设两个以上面积较小的顶棚更合适。

在一些面积大的公共舱室内，往往设有很多支柱，若采用反光柱式照明，则既提高了支柱装饰性，又解决了照明装置的安装，且光环境效果也不差。

反光梁也是一种充分利用结构空间的照明方式。对有些船，由于甲板间高较低，采用大面积发光顶棚是不适宜的。对有一定光照要求的环境，可采用光带或光片式发光顶棚。如光带式顶棚用于座席客舱，顺沿着座位间走道顶上安装入光带，既重点照明了走道，又成了醒目的导向标志。光片尤如把光带切断拉开成间断布置或分散组成的图案，这对希望室内各处都散布光照的餐厅、娱乐室等处可采用这种形式。光带或光片式发光顶棚是将灯隐藏在天花板之内,在天花板平面上装漫射光玻璃或棱镜透光玻璃,或用格栅片(有金属的塑料的,构图有圆孔、六角孔、万孔等多种网孔状格板)灯槽内设反光材料。

此外,运用一定数量的吸顶灯,或嵌入式灯散布在天花板上,构成闪闪繁星状或形成由中心向四周辐射的光芒或光环,也可以创造良好的大厅照明氛围。

d. 明视照明

任务:舱室明视照明的任务主要是确保室内工作面有足够的照度,以便清晰地识别对象,了解环境,并使室内形成一个亮度适宜、视感舒适的光环境。工作面,对卧室、休息室、通道梯道等处是指地面;对会议室、餐厅、办公室、乒乓室、弹子房等是指桌面。这种以照亮大面积工作面为主的照明称一般照明,仅局限于小范围的特殊照明称局部照明,如海图桌、书写桌、镜前、床头等处的专用照明。

明视照明包括一般照明和局部照明。明视照明和局部照明的共同的特点是都以工作面或照明对象的照度为主。有的舱室仅设一般照明,有的舱室兼备两种照明方式(称混合照明方式),视各类舱室用途的需要而定。

设计要求:为达到视觉清晰、视感舒适,照明应满足量和质两者的要求,即配备一定数量配光合理、光效高的灯具,并能得到合理的布局,以求得工作面有足够的照度,且照度稳定而均匀;视野范围内亮度差不宜过大,无耀眼的眩光;特殊场合,如技术台、桌球台等工作面上还要求无阴影;光色柔和,显色逼真。

艺术照明:是利用灯具的选型、光线的强弱、光色的调配和光影的变幻使室内形成一种视感特殊的光环境。艺术照明更丰富了室内的装饰效果,给环境增添美感和气氛。

功用:体现装饰效果壁灯、雕塑坐地灯、蜡烛灯等灯具照明作用不大,主要在于灯具造型的装饰效果。此外,还可运用投向壁面的光斑光色、投向物体的光影造型来装饰室内空间。突出室内视觉中心利用投射光可突出室内的大幅壁画、艺术摆设,或利用投射光束做背景衬托展品。改变空间感反光顶棚或发光顶棚可使顶面明亮,给人以空间增高感受,若光色运用恰当还会形成头顶青天之感。同理,利用发光壁有扩大空间感。组织室内虚拟空间或小区在一些多功能厅室里可以运用不同照明方式组合成不同功用的小区。例如,光线柔和的淡雅咖啡座;光束强烈、色彩缤纷的表演台;光色和谐而迷人的酒吧;等等,使大厅功能多而不乱,使各区域各得其所。渲染室内气氛,强调室内特征,利用艺术顶棚和吸顶灯的结合给大厅增添豪华感;五彩旋转灯给舞厅带来变幻、迷离、激情和富有生气的气氛;用淡雅微暖的漫射光或嵌入式灯或散落数处的落地座灯,会给休息室增添安详、宁静和温馨的感受。

特点:注重灯具本身的装饰性及灯具组合的艺术性。重视光的投射方向、光束的分布、光影的形成及造型立体感。照度不受标准约束,某些场合需要照度,有时出现低照度,有时还会利用闪烁的眩光来改变气氛。光色运用是艺术照明的一大特色。光色与环境色的配合可突出显色特性,光色可增加空间层次调节室内气氛,改变心理感受,构成幻觉的意境。

设计艺术照明应注意:根据舱室的性质和用途考虑艺术照明;结合舱室装修特点;室内四周平面和立面、家具、织物等用色的基调光色与物色的协调;选一种或两种照明方式为主调,在具体手法上多下功夫。

②应急照明

当船舶发生海难事故时,往往主电源中断,需要提供应急电源供应急设备运转和应急照明。

应急照明包括航行灯、信号灯、通信灯;机舱、控制站、消防装备处所的照明;通道梯道出入口的照明;公共场所及超过16人居室的照明;停放救生艇、救生筏场所、登艇甲板、舷外放艇入水处的照明。

关于应急照明,海上人命安全公约和各国规范都有规定,只是在具体要求上有差异。我国《钢制海船入级规范》等一般规范中都要求客船及500吨以上货船应设独立的应急电源。应急电源可以是发电机组或蓄电池组。舱室设计更关心的是应急发电机室或蓄电池室的设置问题。

规范规定,客船的上述舱室应急电源应设在防撞舱壁之后,舱壁甲板以上,机舱棚以外的最上层连续甲板上。蓄电池室还应远离生活区。总之,不要因机舱发生火灾或其他事故影响应急供电,在总布置设计中应予注意。

总之,鉴于船舶建筑的特点,在人工照明的设计中应注意以下几点:

a. 研究不同场合人的心理状态,创造与其相适应的宜人气氛,是舱室内人工照明设计中需要解决的一个重要内容。

b. 研究不同舱室的空间条件,可以利用人工照明形成虚拟空间,以增加空间层次,扩大空间感,或在大空间内创造出局部令人亲切的光照空间。

c. 注意人工照明与室内空间各种环境设计的统一、协调。灯具类型的选择,要注意与空间环境协调。在舱室内是选用吸顶灯、镶嵌灯,还是选用吊灯、壁灯、台灯;是选用白炽灯,还是选用荧光灯,这些都是有一定限制条件的,一定要考虑空间环境和色彩环境的要求,切忌追求形式。灯具外形的选择,要注意与舱室的主题思想相协调。反映热烈、愉快气氛的娱乐舱室,灯具外形变化可以多一些;反映民族特征的舱室,可适当采用民族形式的灯具进行装饰。灯具的尺寸必须与功能相协调。一般陆上建筑所用灯具尺寸都较大,把它选为船用往往不适合,因此一般建造单位都是依据船舱特点自己设计灯具外形及尺寸,用于装饰室内效果良好。灯具的光色应与舱室内色彩的选择相协调。室内是暖色系的,光色就不宜用冷色。光色要作为室内色彩协调的一个重要组成部分参与设计。

d. 充分运用人工照明的光导作用,使不协调的各类舱室向和谐的气氛转换。

e. 充分利用人工照明表现材料质感。一般室内装修时,高反光性能材料的应用可以大大加强室内的热烈气氛。用得较多的高反光性能材料有镜面、抛光不锈钢和铝合金。运用这些材料配合人工照明,一方面可以在有限的空间中扩展空间,另一方面可以利用光面金属材料对光色的反射作用,使室内色彩灿烂夺目。与此同时舱室内人工照明应该明确地显示家具、设备和各种陈设的轮廓,灯光的角度要有助于体现家具、设备和各种陈设的立体感。

三、舱室家具与陈设

1. 舱室家具

(1)家具尺寸

家具尺寸与人体工程的关系密切。人体工程学是运用现代科学的测试手段,对人体的尺寸、姿态、动作、运动能力、人体生理机能、心理效应等进行精密的测试分析，使制造的产品、生活设施及工作环境起居条件与体功能相适应的科学。

①人体工程基本要素

人体的尺度与动作域为人体功能的基本要素，与周围的环境和设施有直接的关系。

②人体工程基本要素与家具尺度的关系

家具的尺度主要取决于人体的尺度以及人在使用家具时的动作域及舒适度，同时还取决于舱室空间的大小及舱室的功能。因此家具在满足使用功能的同时应与舱室空间组成协调统一的整体。

(2)船用家具的类型与规格

船用家具的规格、种类很多，因船舶的规格和类型不同，以及舱室使用功能的不同，对其要求也不同。对有特殊要求的还需要特别设计。下面介绍几种常用船用家具的类型与规格。

①床：船用床按形式可分为单人床及双人床。

单人床的基本形式如图 4－9(a)所示，其长度 L 通常为 2 000 mm；宽度 B 可按需要确定，常用的有 750 mm、800 mm、900 mm、1 000 mm、1 200 mm、1 400 mm 等。双层木床的基本形式如图 4－9(b)所示，常用的规格为 1 950×750 及 2 000×800($L\times B$，单位 mm ×mm)。

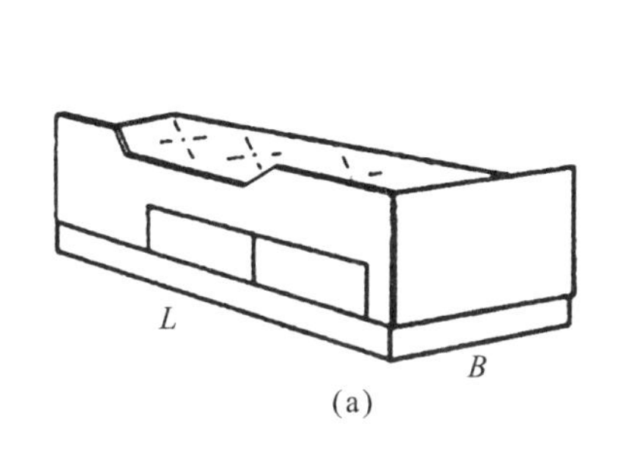

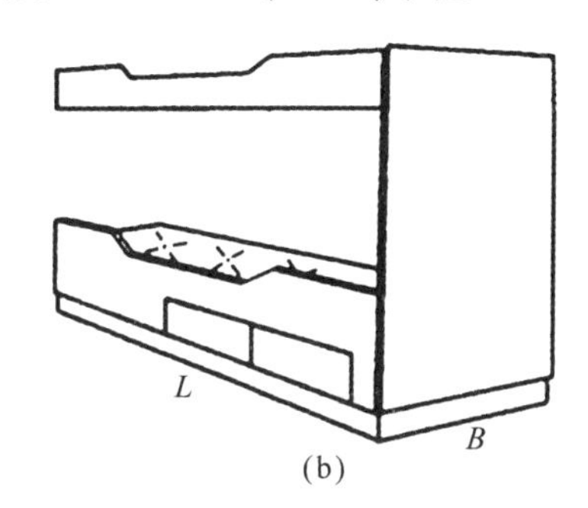

图 4－9　单人床及双层木床的基本形式

小型船舶的床的设置经常受到船体型线的影响，为了顺应船体型线的变化，床的形状可能是平行四边形，甚至是梯形；双层床的上、下床不必对齐，呈错开布置，但床的基本尺寸仍可参照上述木床的尺寸。

②几、桌、台：船用的茶几、餐桌、书桌和海图桌的形式很多，图 4－10 和图 4－11 所示为典型的形式，船舶可根据需要确定这些家具的形式和尺寸。

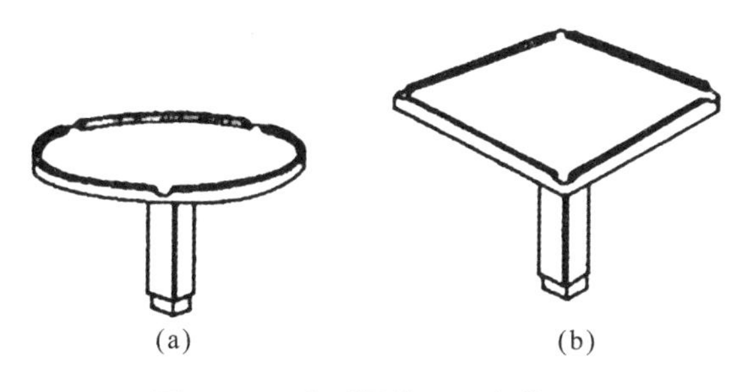

图 4－10　木质圆茶几及方茶几

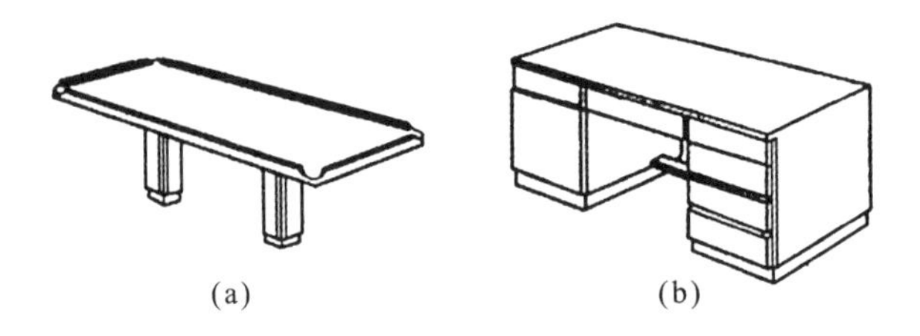

图 4－11　木质双柱矩形茶几及双墩书桌

③橱柜、架：船用的衣橱、床头柜、物品柜、文件柜、医药柜、书架、旗箱、污衣柜等家具的形式繁多，图 4－12 和图 4－13 所示为典型的形式。

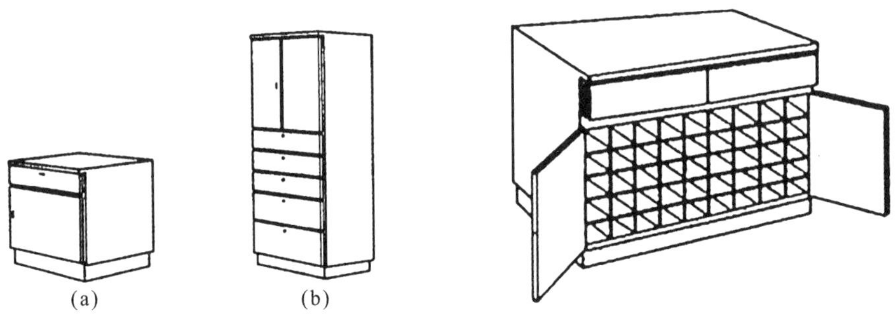

图 4－12　床头柜及物品柜

图 4－13　木质旗箱

④凳、椅、沙发：船用凳、椅的种类和形式很多，但是按其安装的方式可分为固定式和移动式。实际上在当今的民用船上，除了固定的凳、椅以及某些特殊用途的椅子（如驾驶室高脚扶手椅）外，大量使用陆用的各类椅子，如图 4－14 所示。

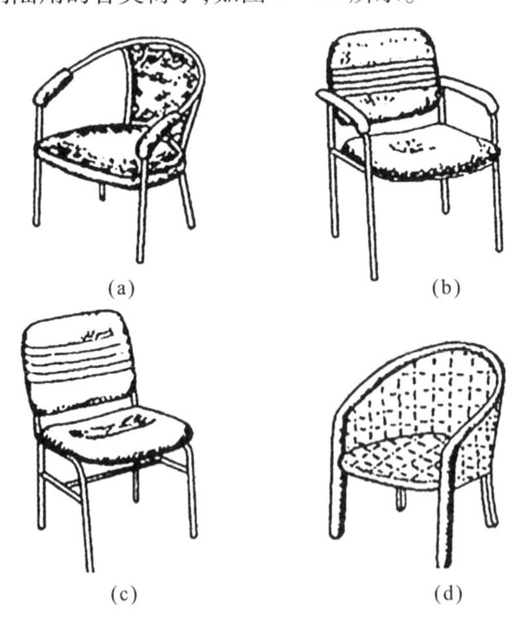

图 4－14　靠背椅

船上的沙发主要用于居住室、报务室、休息室、娱乐室等处所。大多数情况下采用固定沙发，其形式和尺寸依据布置情况而定。常用的有长沙发和转角沙发。一般情况下，沙发的长度应不小于 1 800 mm，宽度为 500 ~ 700 mm。图 4 – 15 所示为典型靠壁转角沙发。

图 4 – 15　典型靠壁转角沙发

(3)船用家具的材料

传统的船用家具材料主要以木材为主，由于船舶舱室防火要求不断提高及材料工业的发展，有不少新型材料在船舶上得到了应用。现在船舶家具主要以木材、钢材为主，根据特殊要求也使用一些铝合金材料及复合材料。

①木材

用于家具的木材可分为同质木材和非同质木材。

作为同质木材的木料有樟木、柚木、南柳、水曲柳等，这些木料用来制造家具具有质地好、强度高、纹理自然清晰，有较好的装饰性等特点；但价格昂贵，加工工艺复杂。

非同质木材通常指那些用一般性木材通过机械加工制成的板材，即机制板，如胶合板、刨花板、中密度板、细木工板等。这些木料用来制造家具具有成型好、变形小、制作方便、价格便宜等特点；但使用寿命短，材料表面装饰性差。

②金属材料

用于家具的金属材料主要有钢材和铝合金材料。根据家具造型式样的不同所采用的材料形式可分为板材和管材两种。

常用的钢材为 Q235 – A 和 Q235 – AF(GB/T 700—2006)。钢材用来制造家具具有防火性能好、结构强度高、不易损坏等特点，但质量大，装饰性差。

铝合金常用的板材为 IF5(GB/T 3190—2008)，管材为 LY12(GB/T 3190—2008)。铝材用来制造家具具有质量小、耐腐蚀、防火性能好等特点，但价格昂贵，加工工艺比钢质复杂。

③复合材料

复合板材是指两种或两种以上不同材料通过不同的物理加工形式而复合在一起的材料。常见的复合形式有粘贴和喷涂两种形式，如金属板表面贴塑及喷涂胶合板表面粘三聚氰胺装饰板。

贴塑钢板、贴塑铝板、彩涂钢板、装饰胶合板都是船用家具常用的复合材料，其特点是提高基材的装饰性，省去了产品最后一道表面处理工序，但加工工艺比一般材料复杂。

2. 舱室陈设

(1)织物

室内织物包括窗帘、床上用品、沙发蒙面、台布、靠垫、地毯、挂毯等。

①织物的艺术感染力来自材料的质感与纹理

毛、麻、棉、丝、人造纤维等不同原材料纺织的织物，其质感有粗糙的、细腻的、挺括的、柔软的；其纹理有曲有直、有正有斜。这些为形成不同的环境气氛创造了十分有利的条件。质地粗糙的，不易反光，看起来阴暗，让人有种逼近感和温暖感；质地细腻的，容易反光，看起来明亮、轻快，有种后退感和凉爽感；对于纹理垂直的条纹可以使空间显高，水平条纹可以使空间显得舒展。

②织物的艺术感染力来自色彩与图案

印染、织花、提花、抽纱、绣花等可以形成丰富多彩的色彩与图案，是增强空间表现力的有效手段；小型的图案显得文静、典雅，可扩大空间感；大型的图案醒目、活泼、抢眼，给人以强烈的印象，但又缩小了空间感；简洁明快的几何图案很容易与现代流行的陈设相协调；动、植物的图案则可以体现某种特定的情感，能反映民族特色和风格。

③织物的艺术感染力来自款式与布置方式

窗帘的悬挂方法及开启后的形态，床单与台布、沙发面的铺法，地毯与挂毯的装点空间等，这些对空间环境的都有着强烈的艺术感染力。不同的款式和不同的布置方法其气氛也不同。有的显得自由、活泼、热烈、愉快，有的显得素静、典雅、别致；有的显得庄重、质朴、大方，有的却显得豪华、富丽、堂皇。例如在某些室内，采用平绒、丝绒等织物做成上下移动的窗帘，地面铺设深色毛料地毯，以锦缎蒙面的沙发陈设，必然显得庄重、豪华。如果有的室内用尼龙或浅色花布做窗帘，淡雅的床单上配之色彩较明亮的枕套点缀，就会充满肃静、文雅的情调，如图 4 - 16 所示。

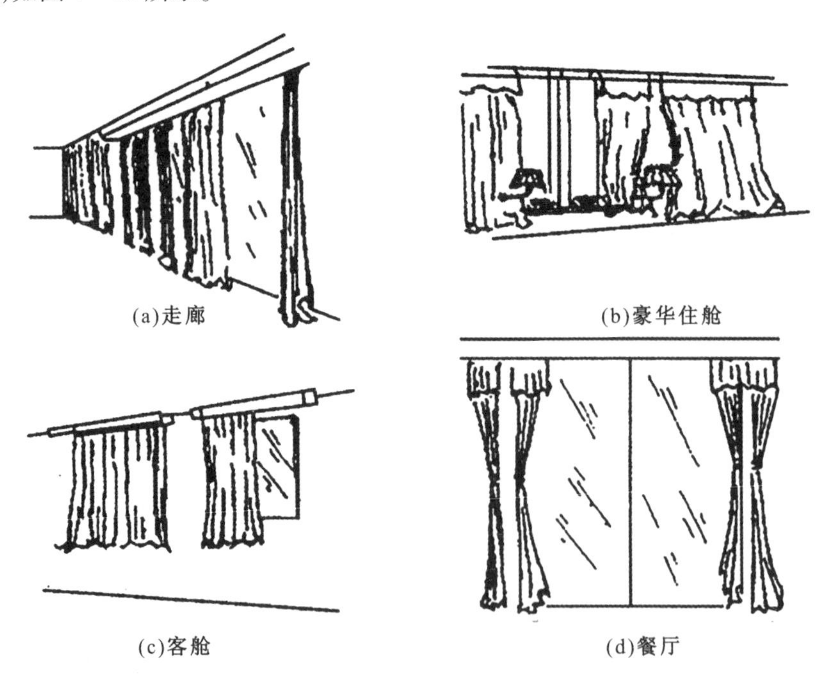

图 4 - 16　不同地方、不同款式的窗帘

(2)工艺品

工艺品无论是实用工艺品(塑料制品、艺术灯具、搪瓷制品、竹藤家具)还是装饰工艺品(壁挂、壁画、盆景、刺绣、雕塑、陶瓷)，都能美化空间，陶冶精神，是船舶舱室环境设计中不

可缺少的部分。工艺品在舱室环境中有以下作用。

①烘托高潮区,形成景观点

由于在船舶舱室布局的序列中设置的高潮区往往是人们观赏过程中的视觉焦点处,因此如果在这里布置许多大型的工艺品,那将成为人们观赏的一个重要部位,就会更加烘托出舱室布局中高潮区的热烈气氛,从而满足人们的心理和精神需求。

②调整构图,画龙点睛

使室内构图完美,当大的布置原则确定以后,在某些部位适当地点缀一些工艺品,可以丰富立面造型,增加空间层次,在统一的环境中显现变化,达到调整构图、画龙点睛的目的。例如淡雅素净的旅客舱室内,书桌上配置一造型别致、色泽鲜明的台灯,不仅使室内的色调不呆板,而且也丰富了整个台面的外形轮廓,形成空间的虚实对比。

③填补空白,充实空间

在船舶舱室中,往往有许多空间死角和空白墙面。例如楼梯、走廊的尽头,机舱围壁、客舱床头墙面等,这些地方有的是暗处,人们视觉难以顾及;有的是空白,显得十分空虚和单调。倘若在这些地方配置一些工艺品,则会使虚面充实,暗处生辉,整个舱室的气氛也会变得生动活泼。

④体现民族风格和地方特色

不同的民族和不同的地方均有不同风格、不同特色的工艺品。在舱室内,依据环境要求,妥帖地陈列些书法、国画、盆景、刺绣、牙雕等工艺品,将会大大加强该环境中的我国民族风格和地方特色,使舱室环境更加富于东方民族的特性。在室内设计中,工艺品的使用一定要掌握少而精的原则,切忌信手拈来,随意堆砌。以空间的用途、主题思想为依据,尽力挑选能贴切地反映该船舱室空间特点的工艺品。在摆设时,要讲究质地对比,色彩协调,注意视觉效果。

(3)室内环境的统一与变化

船舶舱室是人们活动的主要场所,对于室内环境要考虑诸多因素,如功能方面的要求、空间关系的处理、人们的生理和心理习惯等,这些比室外要求要细致复杂得多。另外,由于室内摆设的家具、器具、小饰品,以及装修和装饰材料的品种十分繁杂,因此在设计中,如果稍不注意就会失之大调,出现罗列堆砌、七拼八凑的现象,形成格调低下的大杂烩。要想在舱室内创造出统一而有自己特色的环境和气氛,必须注意以下几个方面:

①舱室设计的主题思想与总体布局的统一与变化

实质上这是一个局部服从整体,形成统一的格调问题,也就是组成船舶的各个舱室要顺从船舶整体功能所决定的性格、特色的问题。就其整体而言,船舶的各类舱室应与全船的功能、外形协调,例如旅游船的客舱、公共活动舱室必须突出旅游的特点,其装修与装饰比起一般船舶要讲究,空间环境要体现出“宽敞”。对于一般客船而言,居住舱室要求平稳舒适。对于工作船的工作舱室则要体现出紧凑有序,讲究效率。但是在整体风格的协调中,还有其个性和特点。这就是舱室内部要有明确的主题思想,以此突出该舱室存在的与功能相符的鲜明性格。体现不同舱室的不同主题,也就体现了舱室环境统一格调中的变化。例如会议室力求庄重、质朴、大方;餐厅要宽敞、明亮、整洁;公共娱乐场所必须轻松、热烈、活泼、愉快,但情绪一定要健康;居住舱室应讲究适用安静、舒适、亲切;阅览室和休息室要求安静、素雅。

②室内色彩的统一与变化

在室内的色彩设计中，要有统一的基调，即要有一个主色调。只有这样，才能创造出富有特色的、有倾向性的、感染力强的环境气氛。没有主色调，就没有色彩性格，也就无法突出舱室的主题思想，形成不了特色。讲究统一与协调的色彩设计，突出色彩性格，形成舱室的明确主题，必将会创造出良好的环境气氛。

③室内器具的统一与变化

首先，可以将名目繁多的各种室内造型对象恰当地用某种图形统一起来。例如从门窗到天花板，从家具陈设到地面图案，从灯具造型到床罩、窗帘都可以将这样一些材质、色彩、功能均不相同的物品统一在某种图形之中。这本身就是异中求同、个性中求共性、变化中求统一的一种方法。像有的舱室采用的是方形的窗、方形的家具和桌椅、方形的灯具；有的则采用圆形或多边形的，从而以某种基本图形形成该室造型的基本格调。其次，部分室内造型对象也可以用同一种材质组成，以达到用同一材质统一室内器具形成独特风格的目的。最后，室内环境的装修设施应该繁简适度，各舱室要大体一致，否则也不会协调。一般来说，人们现在较偏向于喜爱简洁明快的风格，这是因为人们进入了大工业生产的时代，社会讲究效率和速度，人们追求的是空间、色彩质感在运动中的大效果和整体概念。对于那些繁杂、琐碎的布置和装饰倒不显得那么热心。

综上所述，装饰就是在物体表面进行美观的附加处理。广义地讲，舱室内装是通过工艺技术直接处理材料的一种劳动，包括对家具和纺织物的形状、比例、色彩、机理等要素进行工艺处理。

装饰表面的物质形式（构成形式）有雕饰、涂饰、镶饰 3 种。根据不同的对象，运用这些方法创造视觉形象。

表现视觉形象主要有形、色、质 3 个方面，而形的构成有点饰、线饰、面饰等。点饰用以表现焦点，突出主题，如室内的装饰、标志和主要的照明灯具。点的装饰效果给人以强刺激，形成视觉的中心。这种装饰在同一个房间不可过多，否则便没有中心，杂乱而不协调。采用较多的是用线做装饰，如金属镶边、丝织物皱褶和纹理的运用，能形成舱室内部的动静效果和情调，家具轮廓的曲线形和直线形给人的时代感是完全不同的。现代风格的室内装饰讲求简洁、明快的直线，而传统仿古的风格，则以曲线条的装饰为更准确。面的装饰效果烘托出具体舱室的气氛和主体风格。

舱室内部家具装饰用表面有纹理的材料比表面光滑的材料效果更好。墙壁的装饰、沙发的表面及众多的纺织物表面都是通过表面的纹理来树立风格形象的。例如舱壁采用大面积光滑表面给人的感觉是刺激太强，感觉低档，容易污染；有一定机理构成的各个装饰板、纸，表现柔和、舒适、高雅。又如用仿皮、绒布和有纹理的家具表面比用生硬的横竖线条要自然、亲切、有生气。为避免粗糙的表面给人沉闷、迟钝的感觉，可通过镶边雕饰手法，利用线的变化来改变形象。材料的透光性有特殊的装饰效果。这是因为采用透明材料隔断实际空间并不阻断光线和视线舱室内的某些造型，用透明或半透明的玻璃隔断带来的是一种快的感觉。半透明的灯罩、透明的雕塑等对视线无界限、无约束，同时产生保持内部的珍惜感。如果将透明材料与彩色光线配合运用，能表现出一种变幻莫测、诱导探索的视觉感。

选用材料与船舶整体造型效果有着密不可分的关系。材料选配应注意的事项见表 4－6。

表 4-6　材料选配的注意事项

注意事项	要点
相称	同舱室造型的整体性质相称，如大厅内家具应选用质地光滑、流畅、光洁的面料
对比	粗糙度、光亮度、透明度的对比及层次和节奏
经济	用尽可能低的费用获取尽可能美好的视觉效果
新颖	满足人们对新事物的追求，不断发掘和创新

艺术装饰有特殊的作用，不同的形式与内容起到补充、填空、活跃气氛、烘托主题、形成视觉焦点、表现主体风格等多种作用。客船的休息室、观景室、娱乐厅和餐厅装饰的大型壁画要体现民族的风格，适应厅堂的主题。灯具、卫生器具装饰小五金的造型都是影响整体造型效果的要素，其尺度要与舱室的尺度协调，不能过大，以消除狭小感。

船舶舱室内部环境设计是一个复杂的综合设计，考虑的因素多，与结构、性能工艺都有密切的关系。它不仅美化外表，而且是艺术、技术相结合的统一体。

四、舱室空气及噪声

1. 空气环境

舱室内的空气环境，是由室内温度、湿度、气流以及污染物浓度等因素构成的。根据船舶舱室中空气环境可以分为两大类：一类是以满足人体需要为主的，如居住舱室、办公舱室和休闲娱乐舱室等；另一类是以满足生产工艺或科学实验要求为主的，如恒温恒湿室、冷库、温室等。船舶运行在全球不同的江河区域，面临四季更替，甚至酷热极寒的地理环境，需要保持良好舱内的空气条件，才能确保各项工作的正常进行。

室内气温的分布，尤其是沿室内垂直方向的分布是不均匀的。热具有从高温处向低温处移动的性质，其传递形式有 3 种，传导、对流和辐射。所谓传导是指在相同的物质内或与其接触的物质之间产生的热移动，但物质并不随之发生移动。在地板上铺地毯，便可以起到导热的调节作用。对流是指水在空气中的蒸发现象，水和空气类的流体可以随物质的移动发生热转移现象，热的部分向上方冷的部分移动。辐射是指在隔着空间的物质间电磁波传递交换热量的现象，具有与光相类似的性质，有遮蔽物时会阻挡热的传递。在实际生活中，上述 3 种热传递方式往往是同时存在的，舱室内的温度除了受室外热量进出的影响之外，也受到人体以及室内各种热源因素的影响。

室内温度的分布是不均匀的，舱壁角落部分的表面温度较低，容易产生结露，是墙面发霉的重要原因。建筑物热损失量是由建筑各部分的总传热系数决定的。使用传热系数小（隔热性能高）的墙体构成的室内，由于热损失量小，无论是在冬季还是夏季，室内气温比较稳定。

温度与湿度也有着密切的关系，尤其对于船舶，常年在海洋环境中运行，海上的湿度较大。空气中或多或少包含着水分，结露就是空气中的水分接触到较其温度低的物体时，凝结在物体表面和其内部上的一种现象。要防止结露现象，就应该设法使舱壁的表面温度不致降低，措施是提高材料的隔热性或向舱室内供暖风。良好的通风不仅是降低空气湿度的有效方法，它对于驱除室内的有害气体、降低室内温度都是必要的。即使是在冬季，适当进行通风换气,对于提高室内空气的质量也是不可缺少的。

现代船舶,船员在室内工作、生活的时间越来越长。统计资料表明,一般室内空气污染往往超出室外2~5倍,有时甚至超出100倍。船舶舱室由于要求密闭性好而新风量又受到限制等因素,空气污染更加严重。由于舱室空气污染导致的各种疾病已严重影响了船员的工作效率和长期健康。因此,舱室空气质量问题是舱室环境设计的重点之一。

由于船舶舱室的设计功能和使用场合不同,舱室内部构造及所含设备也不尽相同。这导致不同的舱室内空气中所含的污染物的种类和数量有着较大的差异。但按照舱室污染源散发污染物及典型室内空气调查结果,归纳出主要污染物有3大类。

(1)挥发性有机物

挥发性有机物是沸点低于260 ℃,室温下的饱和蒸汽压超过13 332 Pa的易挥发性化合物,如甲醛、苯、甲苯、二甲苯、苯并吡、酚类化合物、卤代烃、乙酸乙酯、甲苯二异氰酸酯等,主要源于建造材料、室内装修装饰材料、家具、清洁剂、杀虫剂、厨房油烟、吸烟、燃烧废气等。挥发性有机物毒性非常大,会导致中枢神经系统、呼吸系统、生殖系统、循环系统和免疫系统功能异常。其中的甲醛对人的眼黏膜、鼻和上呼吸道有强烈的刺激作用,可引起哮喘、过敏性哮喘和支气管炎。

(2)悬浮微生物

舱室空气中的有害悬浮微生物主要包括细菌、病毒、霉菌等。微生物能通过特应性机制、传染和直接毒害途径等引起疾病,严重威胁着人们的生活、工作。

(3)悬浮颗粒物

空气中挟带的固体或液体的颗粒称为悬浮颗粒物或气挟物,主要来源于室外及室内燃料的燃烧,其中直径小于10 pm者称为可吸入颗粒物,对健康影响较大。可吸入颗粒物能直接接触皮肤和眼睛,阻塞皮肤的毛囊和汗腺,引起皮肤炎和眼结膜炎或造成角膜损伤。此外,空气中的细菌、微生物、病毒和致癌物质等有害物质随可吸入颗粒物进入人体肺部,并有可能透过肺泡进入血液,直接危害人体健康,容易引起呼吸道感染、心脏病、支气管炎、哮喘、肺炎、肺气肿等疾病。

在船舶舱室环境设计的过程中,为了保证船上人员的健康和舱室空气的舒适,要严格预防和控制舱室空气污染。首先要控制舱室的污染源,其次要合理利用船上的空调同分系统,最后要加大空气净化的力度。

消除或减少舱室污染源是改善舱室空气质量、提高舒适性的最经济和有效的途径。控制污染源即在船体选材和舱室装饰装修过程中,控制能够给舱室内环境带来污染的用具等进入舱室内部,避免使用含有较多挥发性有机物的胶合板、装饰板、涂料等,而选择挥发性有机物散发量小的绿色建材和材料。研究表明,纳米材料的加入可大大提高涂料的抗菌效果。船舶舱室内的非金属材料和涂料由于经常处于潮湿、空间小、易污染的环境中,尤其是在亚热带和热带海域,非常容易长霉菌,可以添加纳米材料制备具有抗菌作用的舱室内构件和涂料。

此外,人的活动是悬浮颗粒物产生的主要来源。平时应养成良好的个人习惯,不在室内从事剧烈活动,保持个人卫生清洁。此外,由于舱室空间狭小、密闭性高,而通风量又不够,应严禁在舱室内吸烟,并减少各种化妆品、喷雾剂、杀虫剂等的使用。

在舱室外空气质量基本满足舱室内空气质量要求的情况下,经常开门窗或安装使用通风换气机是清除室内污染最便捷、经济、有效的方法。对于已经进入到舱室和舱室内部产生的污染物,通过加强通风换气,用经过滤的新鲜空气可稀释舱室内空气污染物,使其质量浓度降低。

此外,应定期清洗过滤网,更换过滤器滤芯,这既可保证盘管的风量,又能及时清除过滤器上的脏污。但通风换气对舱室内空气污染物的处理只是起到了稀释效果,对舱室内污染物的清除是不够的;再者,只要污染源存在,通风换气停止一段时间,污染物又会积聚到一定浓度。因此,通风换气也只是治标不治本,还需采用空气净化技术从根本上治理舱室空气污染物。

空气净化技术在船上的应用不断增多,诸如吸附法、臭氧净化法、静电除尘法等。传统空气净化技术的缺陷使研究者们重新考虑和研究新型空气净化技术来替代传统技术,并且取得了很大进展。目前的空气净化新技术有光催化氧化空气净化技术、非平衡等离子空气净化技术、生物吸附剂空气净化技术等。

鉴于舱室空气污染物种类多、来源广、危害大,采用单一技术对舱室空气污染物进行控制都难以取得令人满意的效果。因此,在未开发出一种行之有效的舱室空气污染控制技术之前,集合各种现有方法和技术的优势,已成为目前舱室环境设计的一个重要方向。控制舱室空气污染,提升舱室空气质量不仅需要科研人员加大对空气净化新技术,特别是复合净化技术的研发力度,还需要研发、应用绿色环保建材,严格控制舱室内装饰、用具和人员活动等造成的空气污染,从源头控制空气污染,同时合理利用空调通风系统。

2. 噪声环境

声音的传播是因振动引起的,在建筑物中,除了经空气传播之外,有些情况是经建筑物本身而传递声音的。船舶作为特殊的海上建筑物,它的噪声源很多,如柴油机、汽轮机、锅炉、齿轮、鼓风机、泵、通风机、压缩机和螺旋桨等。其中主机、辅机和螺旋桨是3个主要噪声源。船舶噪声按发生场所分为动力装置噪声、结构激振噪声、辅助机械噪声、螺旋桨噪声和船体振动噪声等。

船上各种噪声源产生的噪声通过空气介质和船体结构两种途径传递,以空气噪声和结构噪声两种方式传播。一个噪声源,既能通过噪声源直接激发空气振动,以空气噪声方式通过舱壁、甲板、天花板,沿着通风道,经过网孔、舱口、窗、非密门等传播;也能通过噪声源处承受各种机械力的基座或各种非支撑性的撑件产生振动,以结构噪声方式传播。结构振动以弹性波形式在基座—船体结构—舱室的外围结构中传播,在传播中辐射空气噪声。声源舱室内的噪声,几乎全由空气噪声产生;距离声源稍远的居住舱室内的噪声则全由结构噪声产生。对较大型的船舶,机舱和螺旋桨产生的结构噪声远比空气噪声对船上居住舱室的影响严重;对小型船舶,空气噪声的影响是主要的。

噪声不仅降低了船舶的舒适性,而且还会影响舱室内各种仪器、设备的正常使用。为此,船舶进行舱室环境设计时必须注意采取控制噪声的措施。

所谓噪声控制是采取相应技术措施控制噪声源的发生、输出、传播和接收,以得到人们所要求的声学环境。船舶噪声控制包括3个方面:声源噪声的控制;传递途径的噪声控制;接收器噪声防护设备的使用。

声源控制是噪声控制中最根本和最有效的手段。使用噪声小的主机、辅机和螺旋桨,并且合理地安置噪声源,使其向船舶传播较少的声音和振动能量;合理进行船舶舱室的布置,将机器或整个机舱与船上其他部分隔绝开来,并增加噪声在结构中的传输损耗,控制共振幅度,使之传到居住舱室和其他办公舱室的噪声很小。但是在舱室环境设计阶段,主机、推进装置以及机舱的布置往往都已经确定,因而多是在传播途径上加以控制。

控制噪声传播途径的措施主要有吸声、隔声等,这些可以起到事后补救的作用。吸声主要是在舱室天花板和四壁表面敷设吸声材料和吸声结构,或所在室内空间悬挂吸声体,这样会使室内的反射声大大减弱,降低噪声。隔声是将噪声源或需要安静的场所与外界环境有效的隔离,在船舶噪声控制中,对空气噪声隔声,采用刚性和不吸声的钢板、铝板等做成隔声壁,为提高隔声效果,可采用双层壁,还可采用隔声罩和隔声室等措施对噪声源隔声。

舱室空气、噪声环境设计是一个复杂的系统工程,涉及舱室的采暖、给排水、供电、消防、空调、隔音、保温等多个方面,需要多个专业的协调配合才能获得一个良好、舒适的舱室环境。

第四节　舱室环境设计的表现形式

一、设计图纸

舱室设计的图纸表达方式是按照工程进度来进行配置的,工程设计创意是用施工图纸来表达工程设计内容,工程竣工后的验收、决算等需要竣工图纸,简洁明快的视觉直观效果需要效果图表现。

1. 平面图

一般而言,舱室设计的平面图是用 AutoCAD 绘制出来的。先进行实地测量,画出原始的平面图,再经过构思设计,绘制出 AutoCAD 平面图。

舱室平面图如图 4 – 17 所示,其绘制的内容包括如下几项。门的位置及水平方向:地面铺装材料,各舱室分布及形状、尺寸;家具及其他设施平面布置:舱室内部构造的定位尺寸等需要尺寸标注。

2. 立面图

根据舱室的平面图的布局,用 AutoCAD 绘制出立面图。舱室立面图是按正投影方法绘制的,主要表达舱室内各立面的装饰结构形状及装饰物品的布置等。

舱室立面图(图 4 – 18)绘制内容一般包括:投影方向可见的室内立面轮廓,装修造型及墙面装饰的工艺,墙面装饰材料名称、颜色、规格,门窗及构件的位置,门窗及构配件的造型,靠墙的固定家具、灯具及需表达的靠墙非固定家具、灯具的造型,悬挂物、艺术品等必要的装饰构件的造型,各种必要的尺寸和标高等。

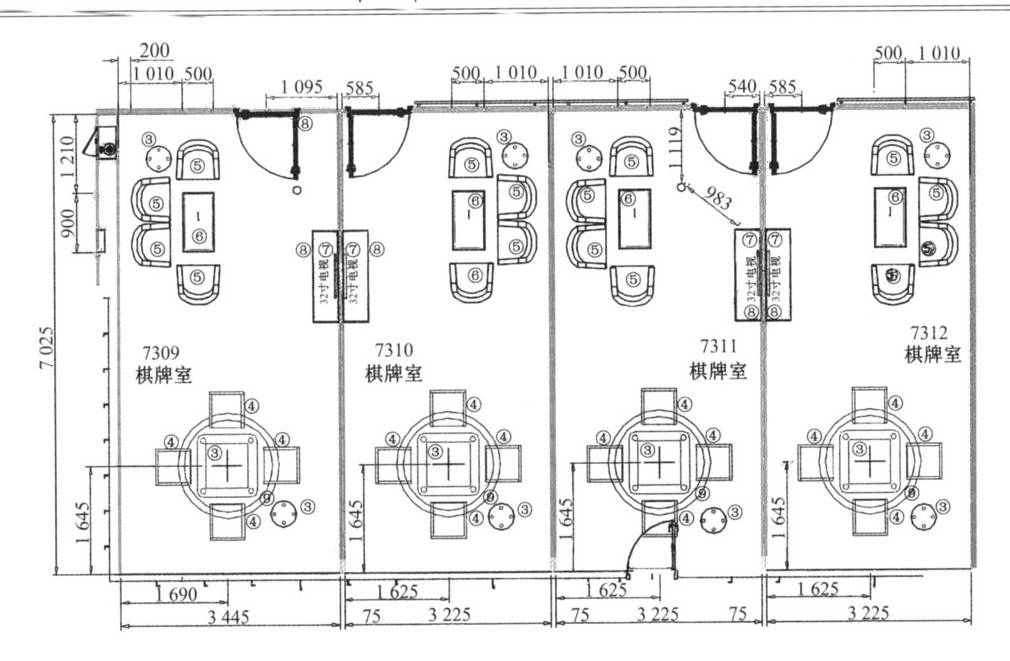

图 4－17　舱室平面图

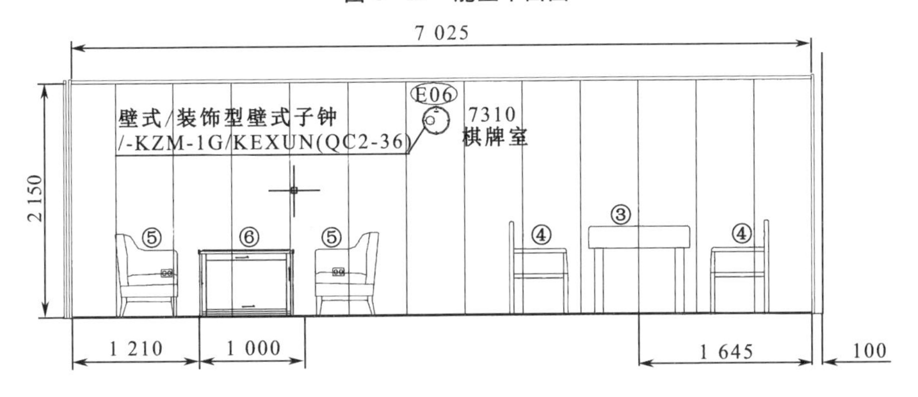

图 4－18　舱室立面图

3. 施工图

舱室施工图，参见图 4－19。一般施工详图的绘制内容包括：各面本身的详细结构、所用材料及构件间的连接关系，各面间的相互衔接方式，需表达部位的详细构造，材料名称、规格，室内配件设施的位置、安装及固定方式等。

4. 透视图

透视图是指可见物体在光的作用下将形体轮廓反映到人的眼睛，使人们感觉到物体的位置、方向、体量、材质的存在，并依据判断和感知将其表现在画面上，产生近大远小、近实远虚的现象，这就是物体的空间透视关系。舱室透视最常见的为一点透视和两点透视。透视图在陆上建筑的设计中应用较多，就船舶舱室设计而言，根据不同类型船舶的受众和市场需求，透视图适用于游艇和豪华邮轮等高附加值船舶的舱室设计。

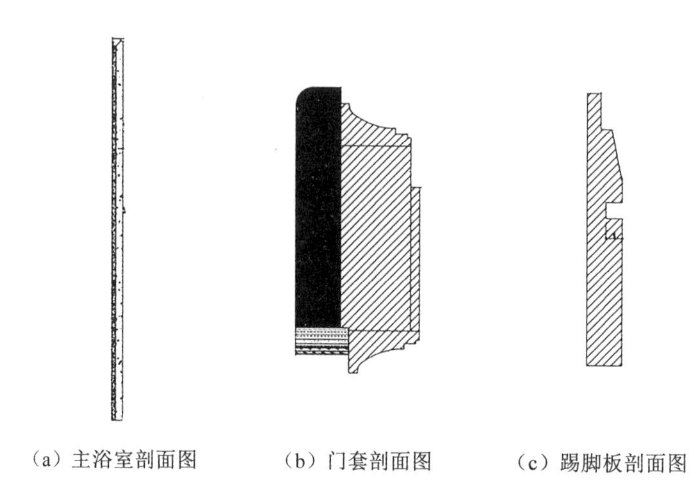

（a）主浴室剖面图　（b）门套剖面图　（c）踢脚板剖面图

图 4－19　舱室施工图

(1)一点透视

一点透视也称为“平行透视”。它是一种最基本的透视作图方法,即舱室空间中的一个主要立面平行于画面,而其他面垂直于画面,并只有一个消失点的透视,如图 4－20 所示。它所涉及的表现范围广,有较强的纵深感,适合表现庄重、严肃的空间环境,是室内手绘表现图最为常用的表现形式。

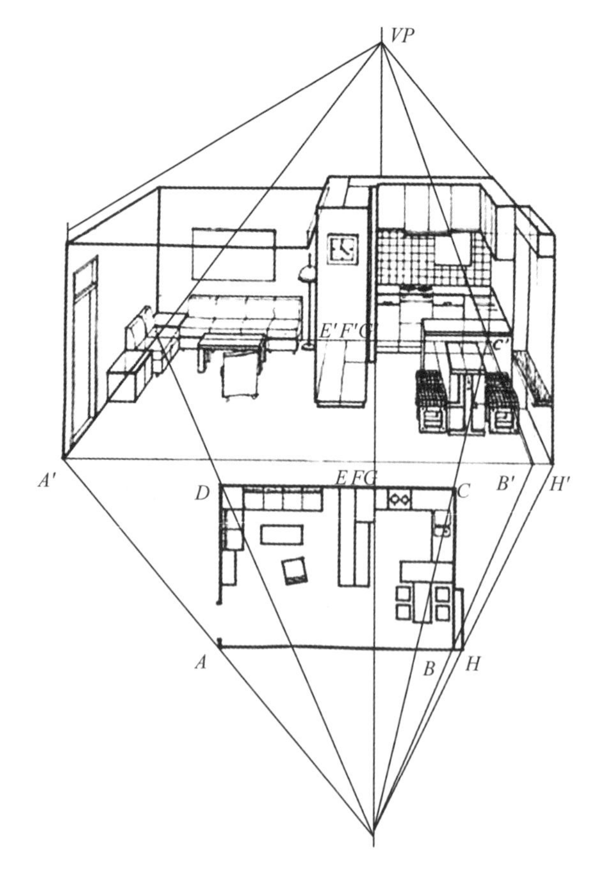

图 4－20　一点透视

(2)两点透视

两点透视即成角透视,又分为成内角透视和成外角透视。其画面效果比较自由、活泼,反映空间接近人类视觉上的真实感觉,如图 4－21 所示,但应注意消失点位置的选择,若选择不当会使空间透视产生偏差变形和失真感。

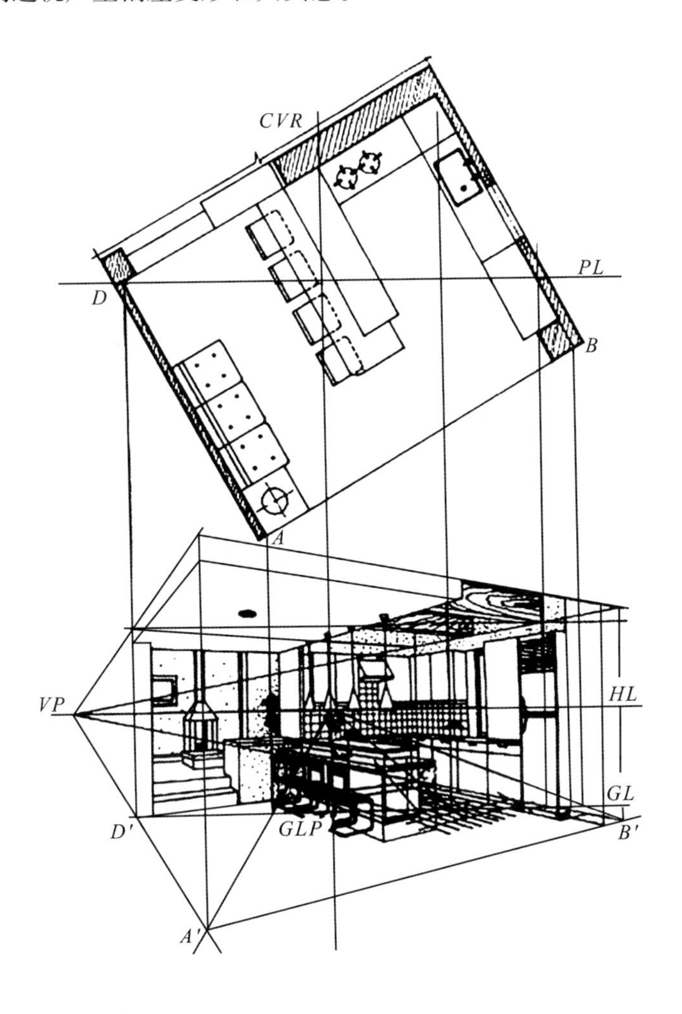

图 4－21　两点透视

5. 效果图

效果图就是在产品实物建造之前,通过图片等形式来表达其所需要或预期的效果,是产品创意构思形象化再现的一种形式,也可以称之为通过手工或计算机 3D 仿真软件技术来模拟真实环境的虚拟图片。效果图的主要功能是将平面的图纸三维化、仿真化,以此来检查设计方案的不足、瑕疵或进行项目方案完善优化。效果图主要分为两类手工效果图和电脑效果图。二者的设计原则都是实用、美观。其中,手工效果图的特点是生动、概括;电脑效果图的特点是真实、准确(图 4－22 和图 4－23)。

图 4－22　电脑设计效果图

图 4－23　手绘设计效果图

二、文字说明

①舱室设计说明、施工说明等；

②材料标注、设计方案中材料确认包括材料的规格、品牌、等级、数量、价格等，也可以用表格的形式表示；

③室内设计委托合同、施工合同、委托协议等；

④工程造价预算、竣工决算等。

舱室环境设计是在给定的船舶内部空间环境中展开的，是对人在船上的行为进行的计划与规范。良好的舱室环境设计是物质与精神、科学与艺术、理性与情感完美结合的结果。舱室环境设计的内涵应该是动态的、发展的，是随着技术水平和社会需求而不断演进的。

第五章　船舶舱室环境工程应用实例

为了保障人们海上工作、生活以及休闲娱乐环境，全面提高船舶的舒适性，满足军、民用不同类型船舶舱室的设计要求。本章综合考虑船舶舱室环境内部人－机－环境等各级要素，基于舱室环境设计的思路和原则，对应舱室环境设计的各项具体内容，结合多年的实船舱室设计经验，介绍军、民用船舶典型舱室的设计情况，以期为船舶与海洋工程专业的相关人员提供参考。

不同类型船舶的舱室种类繁多，军、民用船舶的分类方式和功能需求略有不同，本章为了便于读者对比分析，将后续阐述的典型舱室统一归类为居住舱室、膳务舱室和服务舱室。

第一节　居 住 舱 室

居住舱室的主要功能是提供休息空间，针对居住人员的具体需求酌情拓展办公、休闲等其他功能。典型的居住舱室有单人间、双人间和多人间等。就住室面积、家具配置和空间环境等因素而言，民用船舶尤其豪华邮轮的环境较好。

一、客滚船贵宾套房

1. 平面图（图 5－1）

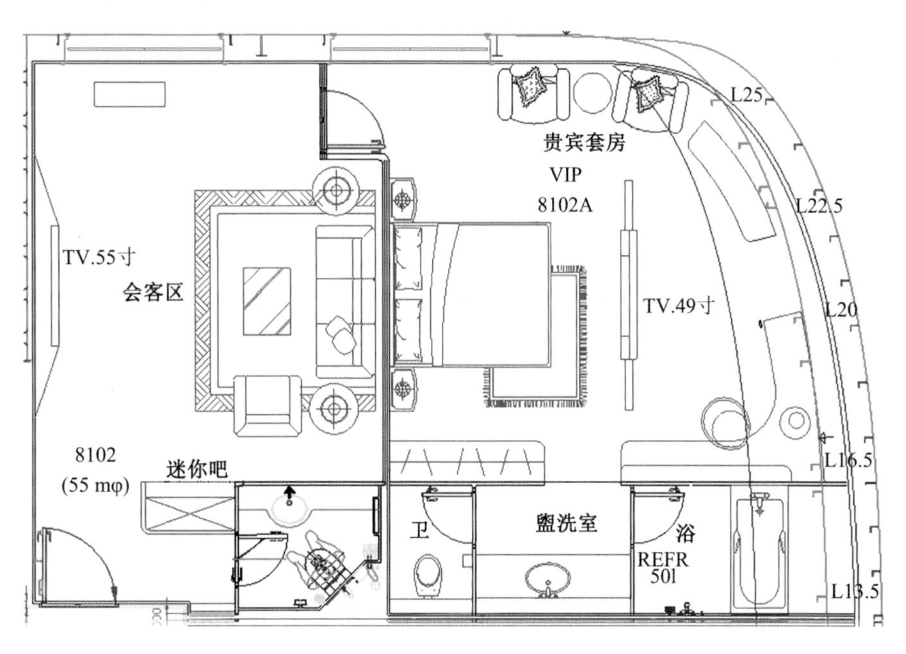

图 5－1　某客滚船贵宾套房平面图

2. 文字说明

(1)功能定位

居住舱室类别为套间或单人间,是为船上高级人员提供办公、会客以及休息的处所。根据其使用功能将其划分为卧室和办公区,并配置独立卫生单元。

(2)设计主题及风格定位

套间是船上最重要的舱室之一,需同时满足办公及休息的双重要求,风格既要统一,又要针对不同区域功能有所区分。办公区域需要体现居住者的尊贵地位,设计主题应严谨、庄重,而在休息区需要使居住者充分放松,感受"家"的氛围。通过素雅、纯净的面饰材料及明快的色彩表达崇尚简约的生活理念,并充分展现船舶大气、端庄的风范。

(3)空间规划布局

①设备配置

卧室:单人床、衣柜、床头柜、矮柜、软床垫、沙发、空调布风器等。办公区:办公桌、高级真皮转椅、皮质沙发、茶几、嵌入式书橱、组合柜、冰箱、液晶电视、终端显示器、饮水机等。

②设备设计

床铺尺寸为 2 000 mm × 1 200 mm,铺面高度为 600 mm,底部为储物抽屉,周围设壁挂式书架;衣柜尺寸为 850 mm × 550 mmx × 1 800 mm,舱室边角空间布置储物柜。办公桌为经阻燃处理的带边高级木质写字台,高级真皮转椅,皮质沙发。书柜为内嵌式,设通透式隔板。

分区动态流畅,合理利用不规则船体结构形式。卧室和办公区采用半隔断形式,隔断下部采用与壁板同等材质材料,上部为双层船用有机玻璃夹百叶窗的形式,根据需要调节百叶的开合,加强空间的通透感。

(4)色彩环境

①界面处理

白色顶面,局部通过叠层造型变化丰富空间层次或虚拟分区。浅米黄色壁面,仿木质贴面门,蓝色踢脚线与门框。地面采用蓝色 PVC 地板,在办公区局部铺设暖色的浅驼色地毯。

②家具风格

采用榉木饰面的家具,有清新自然之感。选用坚实、刚健的黑色靠背椅,给人舒适、威严的感觉。沙发选用简约、大方的咖啡色,给人清新之感。

③色彩方案

家具主体为浅黄色(蒙塞尔明度 5 以上)木质感饰面,局部做小面积色彩变化与环境色相呼应,增强整体协调感。冰箱黑色与不锈钢色搭配;黑色挂壁式液晶电视;音响设备、广播器、终端显示器根据设备选型而定。

(5)光环境

①功能照明

有层次的混合照明,通过电路分项控制,实现不同的功能照明。不同功能区提供适合的照度,并满足规范安全性要求。

②方案设计

办公区设矩形吸顶灯,边棚布置筒灯,休息区主题照明为矩形吸顶灯,设台灯、床头灯等,从而达到办公区明亮通透,卧室温馨自然、色调柔和的灯光效果。

(6)空气环境

基于相关规范要求,把控不同类型舱室内的空气质量。

①热湿环境

夏季 25 ℃ ±2 ℃;冬季 22 ℃ ±2 ℃;夏季 50% ±5%;冬季 40% ±5%。

②气流环境

温度梯度:夏 1.5 ℃,冬 3 ℃。

工作区风速:夏 0.1 ~0.2 m/s;冬不大于 0.2 m/s。

气流分布性能:ADPI≥85%;通风效率 E_v 不低于 0.8;换气次数 8 ~10 次/h。

③空气品质

依据国家军用标准(GJB)对 CO_2、CO、甲醛、氨、苯等污染物浓度进行控制。

(7)噪声环境

舱室噪声应满足相关规范要求,低于 55 dB。

3. 效果图(图 5 –2)

图 5 –2　某客滚船贵宾套房效果图

第二节　膳 务 舱 室

一、客滚船高级餐厅

1. 平面图(图 5 –3)

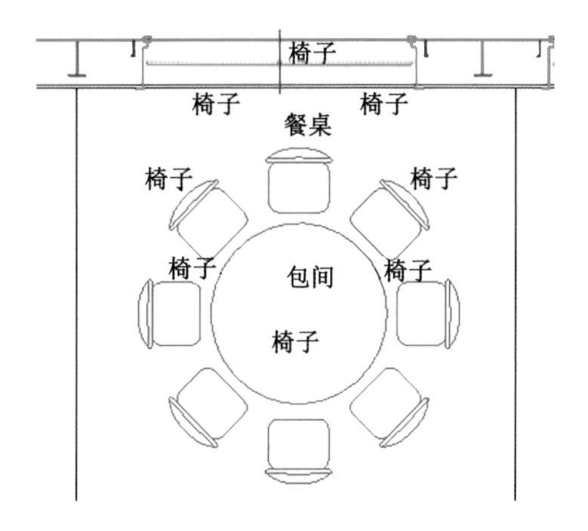

图 5 –3　某客滚船高级餐厅平面图(包间)

2. 文字说明

(1)空间布局与功能设计

餐厅是船舶重要的公共场所之一,要保证在有限的时间和空间范围内,向船员提供就餐条件以及非就餐时间的学习、休闲和娱乐条件。所以应考虑就餐人员位置,注意流动路线布置。高级餐厅是就餐、休闲、交流的公共空间,具有多功能的特点。因此,要突出轻松、愉悦的审美情趣。在设计上运用自然质感的材料搭配与和谐的色调,营造温馨、舒适、愉悦的就餐环境。高级餐厅主要以某种特定风格进行设计,以中式包厢为例,餐厅应采用中式圆形桌形式,满足游客就餐与审美需求。

(2)家具功能设计

中式包厢设置中式桌椅、窗帘、门帘,以中式窗棂为图形元素设计的折叠式隔断及门框,满足多人就餐的私密需求外,也同时满足在不就餐情况下的空间通透感。

(3)色彩环境设计

高级餐厅采用暖色小清新风格,在设计中采用仿木材、织物或石材的质感,使人在心理上贴近自然。在餐厅主题风格上要从多功能化方面着手,通过平面布置、界面处理、采光照明、色彩选择、气氛营造等,创造一个清爽、温馨、高雅的空间氛围。在明清色背景的衬托下,白色、褐色、木色等主体色明暗层次有序,其中绿色元素及中国元素进行空间点缀,在暖色统调中形成色彩的高潮。

天棚:白色 A 型天花板,局部吊顶;

围壁:浅色木纹色壁板;

地面:浅灰、中灰、深灰三色拼色 PVC 地面;

家具:浅色木纹家具;

座椅:深木色椅腿与浅米黄色椅面座椅;

窗帘:蓝灰色。

中式包厢上方设置方形吊顶,隔断处设置中式木纹装饰框,满足游客中式审美需求,并设置窗帘与门帘。

方形吊灯中间设置筒灯,四周设置灯带,包厢外沿设置灯带、中式壁灯,起到照明与装饰作用。

3. 效果图(图 5-4)

(a)

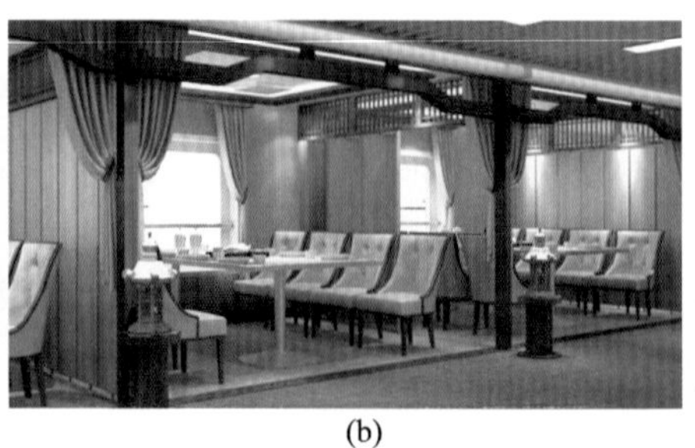

(b)

图 5-4　某客滚船高级餐厅效果图

二、客滚船普通餐厅

1. 平面图(图5－5)

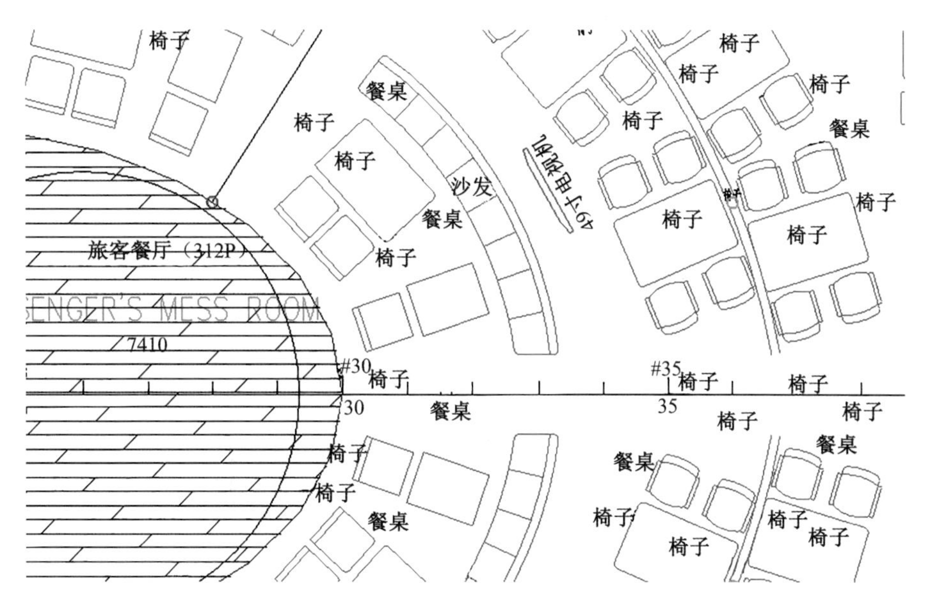

图5－5　某客滚船普通餐厅平面图

2. 文字说明

(1)空间布局与功能

普通餐厅是为了满足船上乘客就餐、娱乐、文化、休闲、会议、人际交流等的多功能空间。乘客在就餐之余,需要在这里休息、娱乐和交流。因此餐厅的设计应注意多个功能的实现,做到舒适、温馨。餐桌的数量应能满足二分之一的乘客同时就餐。设计餐厅分为两大区域:普通就餐区和舞台区,区域划分明确,满足娱乐、休闲、就餐需求。在设计上应充分考虑乘客就餐时的路线安排,使就餐路线更加流畅,减少新就餐人员和就餐后离开人员之间的干扰,增大了就餐时的流畅性。

(2)家具功能设计

普通餐厅不仅是乘客用来就餐的场所,还是乘客在业余时间用来休息、娱乐的场所,所以在设计时更应该体现一室多用化、设备多功能化。舞台区设置射灯、音响、电视、大屏幕,满足休闲、娱乐需求;普通就餐区设置简约餐桌餐椅、卡座沙发,满足游客就餐需求。

(3)色彩环境设计

由于舱室空间有限,层高较低,所以在设计上为了减少压抑感,更好地营造就餐氛围,设计主题和风格必须体现明亮、大气且又不失威严的风格特色。

天棚:木纹U型长条通透式天棚;采用长城板、A型板与铝方管结合方式设计,错落有致,提高天花板的层次感;

围壁:浅色木纹壁板;

地面:浅灰、深灰、重灰拼色PVC地面;

家具:浅色木纹家具;
座椅:深蓝色与浅米黄色套色座椅;
卡座沙发:浅米黄色卡座沙发。
中式隔断设计,用以区分打餐区与普通就餐区,配置长杆射灯进行局部照明。
圆形吊顶设计配置筒灯、光带、射灯,起到照明与装饰作用。

3. 效果图(图 5-6)

(a) (b)

图 5-6 某客滚船普通餐厅效果图

三、厨房

1. 平面布置图(图 5-7)

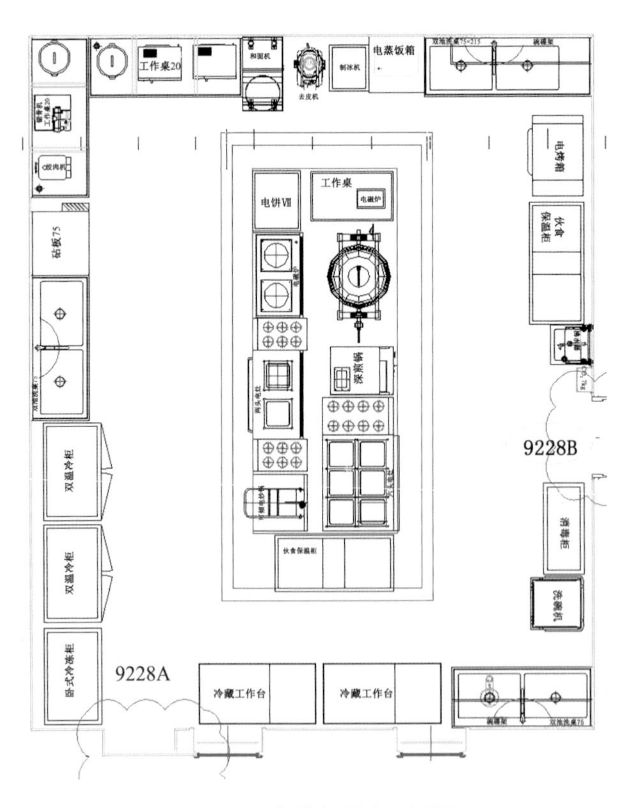

图 5-7 客滚船厨房平面图

2. 文字说明

(1)空间布局与设备设计

厨房是为船上人员制作精美菜肴和食品的场所,在厨房相邻近处需要设置预加工间、主食加工间,方便对厨房所需的原材料进行供应。厨房设计时应首先从功能出发,满足船员的饮食需要。从食品储存、加工使用、工艺流程考虑,厨房的布置应靠近冷库、粮库、杂品库等食品仓库以及餐厅等舱室。厨房的位置应考虑饭菜输送方便问题,防止厨房的烟气影响餐厅,考虑到厨房的特殊环境和工作情况,最好将其布置在舰艇后端部,且一般厨房上下层应对齐,并尽可能布置在同一舷侧。这样可以简化管路,避免污水管穿过其他舱室,也便于污水及粪便排出口集中布置管理,有利于海底门吸入海水。

厨房的面积是有限的,但是厨房里的器具却因为时代的发展越来越丰富,生活质量也直接受这些器具的安排位置影响。厨房布局的形式多样,通常分为L形、二字形、半岛形、U形等。

炉灶的火苗必须稳定,不可以被吹灭,所以不能安放在正对厨房门的位置、窗户前方的位置等。作为另一个极为重要的配置,水槽不可以与炉灶相邻放置,在两者之间摆放一个切菜台起到缓冲作用是一个合理的手段,同时也方便了使用时进行操作。

现代家居的厨房里除了炉灶之外,还有很多家电用具,比如电冰箱、电饭煲等。冰箱的摆放要注意两点,首先是不要和厨房门相对,食物的保存期限会缩短;其次,冰箱不要正对炉灶的位置。

厨房全部设备包括舱壁和天棚全部采用不锈钢材质,是为了更好地提高厨房的防腐、防火和安全性能。在厨房家具与人员接触面设置防浪扶手,是为了在船舶摇晃时更好地保持平稳,防止人员意外摔倒。在灶具和洗涤池等用水设施处都设置了10～20 mm凸缘,是为了防止滴水在船舶摇晃时落入地面,使地面湿滑,对人员安全造成威胁。

(2)装饰设计与材料选取

考虑到厨房区域的特殊性,设计风格要以简约为主;色彩设计上以不锈钢色彩为主,既干净清爽,便于清洁,又能增加舱室的照明亮度和防火效果,达到了一举多得的目的;灯光设计上尽量柔和、温馨,降低炊事员因长期处于高温、高热的环境下所产生的烦躁心情。

厨房装修首先要围绕安全清洁的原则,然后再考虑美观的问题。从实用的角度来看,厨房是烹饪的地方,白色可以表现出卫生形态的好坏。厨房的颜色除了清洁功能外,还与食客的胃口有关。白色有利于情绪的释放,不易引起人们的情绪反应。

安装厨房地板时,厨房地板应短于客厅地板。一方面,它可以防止浑浊的水溢出;另一方面,厨房由于主次分明,不允许超越主体。厨房材料应选用不易污染、不易损坏、易于清洗的材料。厨房地板最好不要选用立体感强的材料或明暗对比强烈的材料,否则会造成对地板高度不均匀的误解。此外,厨房应保证空气流通,这样可以降低厨房温度,保持干燥和新鲜,保证食品质量。

(3)色彩环境与照明设计

厨房不适合用暖色调,一般选用颜色较浅或者较为明亮的颜色为好,可以选用一些较为新奇的颜色进行装饰,避免由于功能较为单一造成工作人员的倦怠感。

厨房的照明应该明亮。合理的照明不应是单一的,灯具不仅局限于厨房的天花板,还应根据需要配备光源,如橱柜用具。这些光源不能刺激烹饪人员的眼睛。厨房灯的形式是荧光灯,光线明亮无阴影。

3. 效果图(图 5 - 8)

图 5 - 8　某客滚船厨房效果图

第三节　服务舱室

一、客滚船会议室

1. 平面图(图 5 - 9)

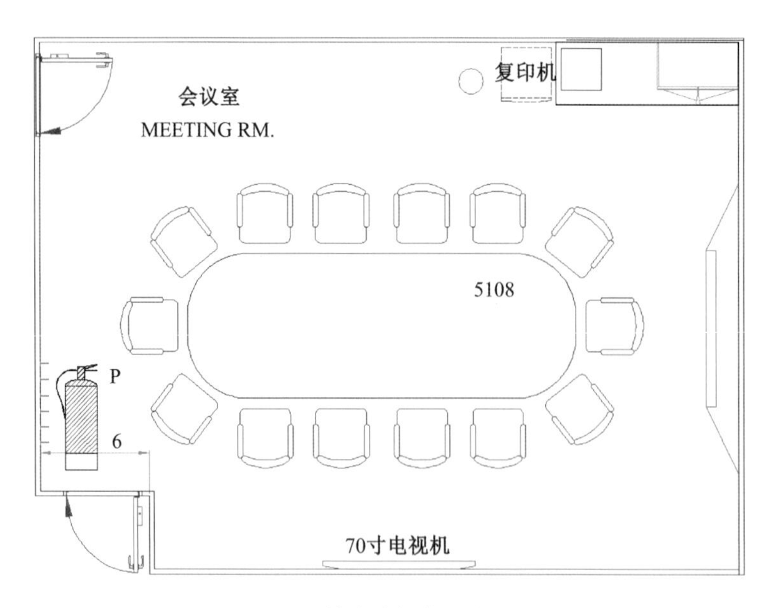

图 5 - 9　某客滚船会议室平面图

2. 文字说明

(1)定位及功能分析

会议室舱室设计在审美的精神层面上要相对侧重,在装饰标准及材料、家具等方面均高于一般舱室,需要体现庄重、严谨、理性的空间气氛,主要用于高级会议、集体办公、船舶展示等。

(2)解读分析及设计理念

本船应代表中国形象,舱室环境设计更应能展示我国在世界上的影响力。因此,设计风格选用能够具有我国特点的装饰风格——简中式风格,主要从房间的界面、家具、色彩、灯光环境及装饰等几方面进行设计。简中式风格主要选用的材质与色彩为深木色及金色金属,搭配现代感家具及简中式装饰元素,添加文化元素图案,在能够体现我国特点的装饰外,又能体现此舱室庄严肃穆的一面。

(3)家具功能设计

高级会议椅:实木与黑色皮革结合;

高级会议桌:深木色,具有可收纳会议话筒等功能;

两侧排布舒适旁听会议椅:蓝色与黑色搭配,平衡空间色彩。

(4)色彩环境设计

装饰方面则采用淡暖黄色空间色彩,主家具颜色为深木色、天青蓝及黑色构成,地面为暖色;运用象征大海的蓝色系,在舱室空间中进行装饰。

会议室采用现代简约风格的高档家具,深木色主体家具搭配黑色皮革座椅,明暗层次组合有序,形成简洁、庄重、理性的空间性格。暖色为基调,题词墙为深木色,其他墙面为暖白色,添加金属感色彩,体现低调奢华的色彩环境。灯光方面,采用冷暖光结合的混合照明方式,中心区照明为白色光棚,突出以会议桌为中心,四周为筒灯,进行辅助照明。不同的照度组合,可形成丰富的光照层次感。

3. 效果图(图 5 – 10)

(a)

(b)

图 5 – 10 某客滚船会议室效果图

二、客滚船娱乐型舱室

1. 平面图(图 5 – 11 至图 5 – 13)

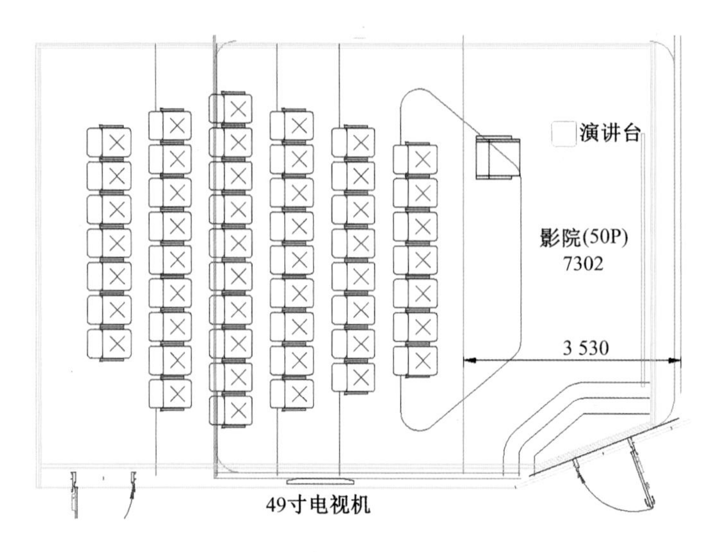

图 5 – 11　某客滚船电影院平面图

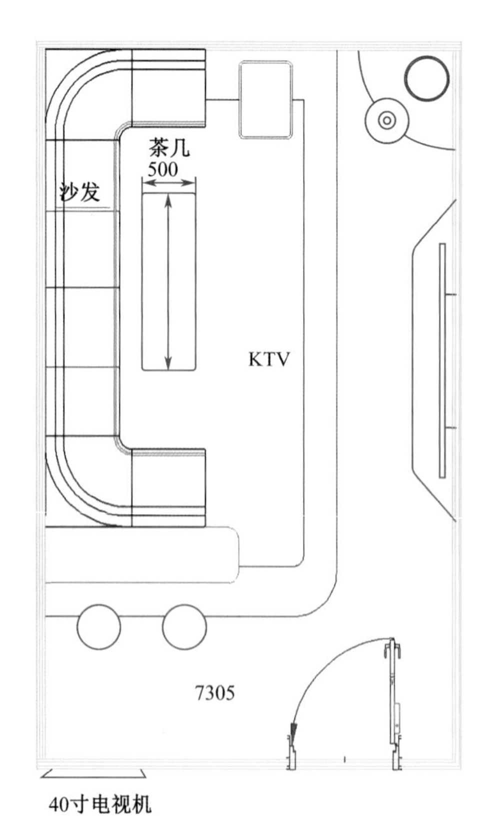

图 5 – 12　某客滚船 KTV 平面图

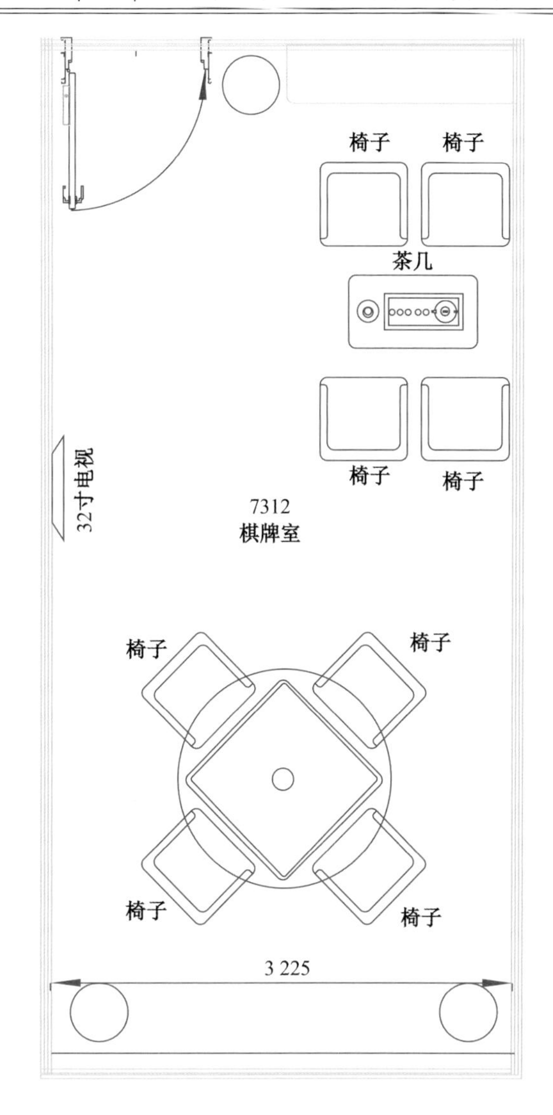

图 5－13　某客滚船棋牌室平面图

2. 文字说明

(1)影院舱室

①空间布局与功能设计

影院舱室空间布局可分为观影区和舞台区，主要满足学术交流、讲座、会议、晚会、电影播放等功能。空间结构为阶梯式，顶面和墙面凸凹起伏的造型，可控制声音混响，满足影视空间声学的功能需要。

②家具功能设计

影院家具主要设置观影椅和讲台。

③色彩环境设计

天棚:深灰色顶面;

围壁:原木色吸音板,采用凸凹起伏造型,内设垂直柔光带,起到装饰与辅助照明作用;

地面:深灰色 PVC 地面,蓝色碎花地毯;

座椅:深红色座椅。

④照明环境设计

影院采用智能灯光控制系统进行设计,渲染不同的氛围。会议模式采用冷光光源,工作面的平均照度为 150 lx,舞台模式采用暖光光源。墙面两侧设计条形灯带指引人员通行,座席区域顶部采用均匀布置的筒灯。

(2)KTV 舱室

①空间布局与功能设计

KTV 舱室空间布局为娱乐区,主要满足唱歌、娱乐需求。

②家具功能设计

KTV 舱室设置 U 型舒适皮质沙发、茶几、小吧台、吧椅,满足唱歌、娱乐、休闲需求。

③色彩环境设计

天棚:白色微孔吸音板;

围壁:花纹装饰板;

地面:灰色 PVC 地面;

家具:浅米黄色沙发、黑色理石纹理的台面。

④装饰环境设计

KTV 空间狭小,墙面装饰镜面板材缓解狭小空间的拥簇感,通过镜面反射达到空间扩张的视觉感受。

⑤照明环境设计

四周筒灯为 KTV 的主照明,局部射灯、柔光带为辅助照明。

(3)棋牌室舱室

①空间布局与功能设计

棋牌室空间布局可分为棋牌区和休息区,主要满足游客的棋牌娱乐及休息的需求。

②家具功能设计

棋牌区设置多功能棋牌桌、座椅,满足游客棋牌娱乐需求;休息区设置电视、茶几、舒适沙发,满足游客休息需求。

③色彩环境设计

天棚:白色 A 型天花板;

围壁:浅米色与深木色壁板;

地面:浅褐色花纹地毯;

家具:深木色家具;

座椅:深木色椅腿与浅驼色椅面座椅;

沙发:浅驼色沙发与深蓝色靠垫。

④装饰环境设计

棋牌室两侧背景墙局部用木纹板装饰,一面墙设置装饰画,另一面墙设置电视。前背景墙主要以中国风装饰墙画为主,左右上方配有中国简约纹样设计。

⑤照明环境设计

棋牌桌上方设置圆环形 LED 灯,起到照明作用;休息区设有筒灯,满足休息区照明需求。

3. 效果图(图 5 – 14 至图 5 – 16)

图 5 – 14　客滚船影院效果图

图 5 – 15　某客滚船 KTV 效果图

图 5 – 16　某客滚船棋牌室效果图

三、客滚船卫生舱室

1. 平面图(图5－17和图5－18)

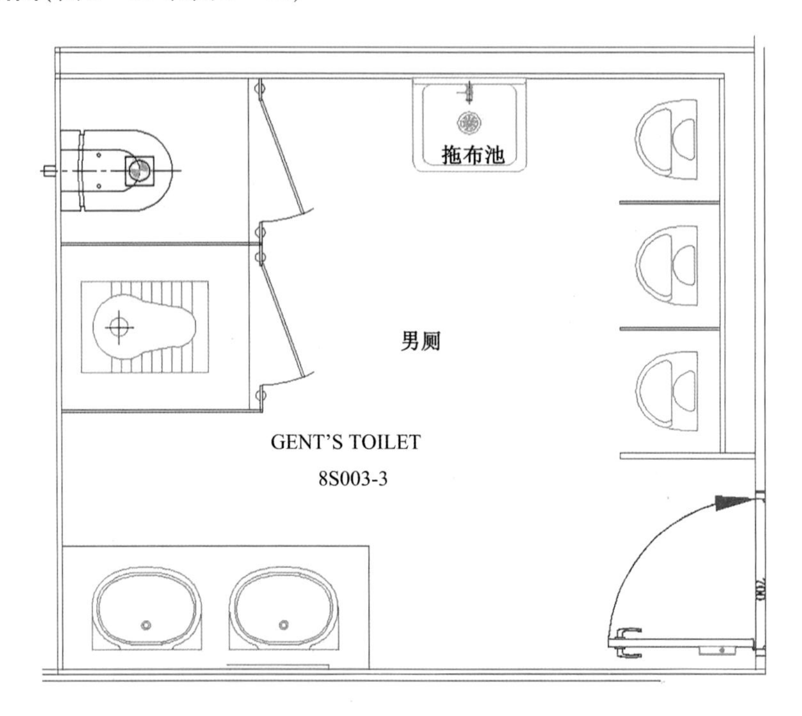

图5－17　某客滚船公用卫生间平面图

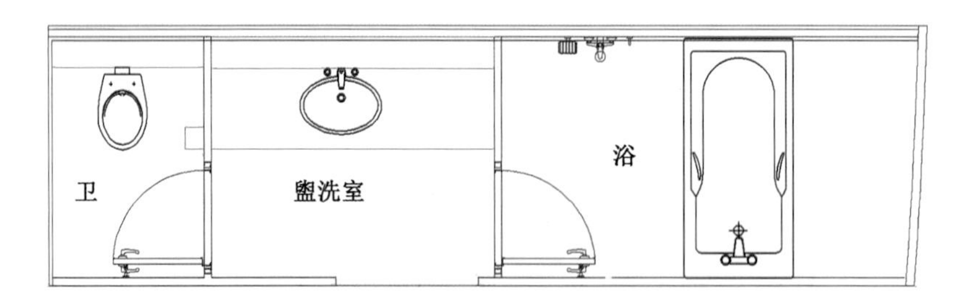

图5－18　某客滚船私人卫生间平面图

2. 文字说明

(1)空间布局与功能设计

盥洗室的设计要特别考虑清晨乘客起床后的集体洗漱,在其他时间也可以作为普通盥洗室使用。其相邻位置可设置卫生间,以方便乘客清晨洗漱并就近如厕的需要,集中利用空间,并能有效分流,节约时间。在空间布局上,盥洗间与卫生间分两侧集中布置。在盥洗室和厕所之间开有门，方便两舱室之间乘客的流通。淋浴间是为了满足船舶上人员洗澡，充分保证个人卫生而设置的单独的舱室。每一个淋浴间配置更衣间及相应的辅助设施，要能充分为使用者提供便利。淋浴间在整体布局上设计了两间更衣间和一间淋浴室。由于下方结构空间已经固定。所以只能设计成两个更衣间，上方较大的舱室内设计成淋浴室。

（2）家具功能设计

盥洗区设置洗手池、镜子、肥皂盒、置物架、抽纸盒、烘干机，满足游客洗手需求；卫生区设置便池，满足游客如厕需求。

淋浴室则应该布置以下家具：

①淋浴器：为了增加淋浴室的安全性，防止由于船舶摇晃而使淋浴器不慎掉落的情况发生。淋浴器设计成了壁挂式；在每个淋浴器下方配置了低位水龙头，方便了舰员洗脚时使用；为了保证船员淋浴时能够面向船舶首尾方向，降低船舶摇晃时的危险系数，淋浴器应面向船舶首尾方向安装。

②防浪扶手：为了保证船舶摇晃时，船员容易站稳，在每个淋浴室小隔间内都配置了一个不锈钢的防浪扶手。

③洗漱用品搁架：方便船员洗浴时洗发水、沐浴液等物品的安放。

④毛巾挂钩：为了方便洗浴时毛巾的挂放，在每个小隔间内都配置了一个不锈钢的毛巾挂杆。

⑤更衣柜格：为了保证船员洗浴时衣物的存放，在更衣室内采用防腐材料制成更衣柜格。

（3）色彩环境设计

厕所、盥洗室、淋浴间属于湿热空间，因此采用冷色系进行设计，冷色系清爽宜人、干净，利于缓解船员使用舱室燥热的心理感受。家具采用浅灰色钢制家具。盥洗室和厕所在设计主题和风格上，要以干净、清新为主，并且要符合船舶特色，如果是军船则要体现出海军的庄重。淋浴间在设计时，主题方面应注重舒爽、安逸。因为淋浴时会产生大量的水蒸气，且舱室的温度也相对比外界更高，人在这种环境下更容易产生燥热感。所以在设计时色彩采用冷色为主，不仅可以降低船员的心里温度，还可以释放工作一整天的疲劳。

天棚：白色 A 型板；

围壁：浅褐色花纹壁板；

地面：暖色 PVC 地面；

家具：淡黄色抗贝特板。

盥洗区上方设置镜前灯、吸顶灯，满足照明需求，墙设置装饰画，内容可以根据用户需要进行更换。

3. 效果图(图 5－19 和图 5－20)

图 5－19　某客滚船公共卫生间效果图

图 5－20　某客滚船私人卫生间效果图

参 考 文 献

[1]孙庭秀. 舱室设计[M]. 哈尔滨:哈尔滨工程大学出版社, 2006.
[2]刁玉峰. 船舶舾装工程[M]. 哈尔滨:哈尔滨工程大学出版社, 2006.
[3]于建中. 船艇美学与内装设计[M]. 上海:上海交通大学出版社, 2011.
[4]蒋志勇,杨敏,姚震球. 船舶造型与舱室设计[M]. 哈尔滨:哈尔滨工程大学出版社, 2003.
[5]龚昌奇,傅德生.船舶造型[M].北京:人民交通出版社, 1999.
[6]刘寅东. 船舶设计原理[M]. 北京:国防工业出版社, 2010.
[7]刘善平. 船舶工程导论[M]. 北京:人民交通出版社, 2010.
[8]金仲达. 船舶概论[M].2 版. 哈尔滨:哈尔滨工程大学出版社,2010.
[9] 吴家鸣. 船舶与海洋工程导论[M]. 广州:华南理工大学出版社, 2013.
[10]中国船舶工业总公司. 船舶设计实用手册:结构分册[M]. 北京:国防工业出版社,2002.
[11]于建中. 船舶美学与艺术设计[M]. 大连:大连理工大学出版社,1994.
[12]刘启国. 船舶建筑美学[M]. 武汉:华中工学院出版社, 1988.
[13]曹晖. 美学概论[M]. 北京:对外经济贸易大学出版社, 2014.
[14]周宏. 船舶设备[M]. 北京:人民交通出版社, 2011.
[15]贺爱武,贺剑平. 室内设计[M]. 北京:北京理工大学出版社, 2016.
[16]蒋旻昱. 室内设计基础[M]. 青岛:中国海洋大学出版社, 2015.
[17]傅凯. 室内环境设计[M]. 北京:化学工业出版社, 2004.
[18]龙升照,黄端生,陈道木等. 人－机－环境系统工程理论及应用基础[M]. 北京:科学出版社, 2004.
[19]吴青. 人机环境工程[M]. 北京:国防工业出版社, 2009.
[20]刘卫华, 冯诗愚. 现代人－机－环境系统工程[M]. 北京:北京航空航天大学出版社, 2009.
[21]陈波. 实用人机工程学[M]. 北京:中国水利水电出版社, 2013.
[22]阮宝湘, 邵祥华. 工业设计人机工程[M]. 北京:机械工业出版社, 2005.
[23]马江彬. 人机工程学及其应用[M]. 北京:机械工业出版社, 1993.
[24]王郁新. 人体工程学与室内设计[M]. 沈阳:辽宁美术出版社, 2005.
[25]陈庆华, 吕彬, 李晓松. 系统工程理论与实践(修订版)[M]. 北京:国防工业出版社, 2011.

附　　录

为了使学生们能够更好地学习并应用舱室环境工程理念进行现有船舶舱室环境设计，以下附上一些基于舱室环境工程理念设计的典型船舶舱室的效果图和实物图，以供参考。

图1　某船舱室环境工程(一)

图2　高级交通船舱室环境工程

图3　某船舱室环境工程(二)

图4　某船舱室环境工程(三)

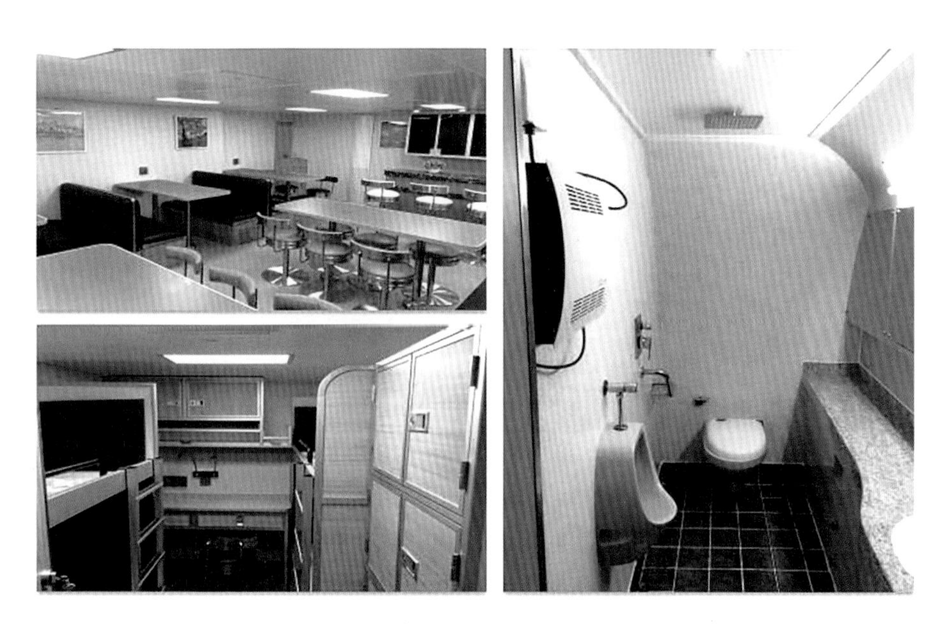

图5　某船舱室环境改装工程

图6　东方红科考船设计方案

图7　极地号科考船设计方案